LE NOUVEL ENTRAÎNEZ-\

Thierry Gallier

Direction éditoriale
Michèle Grandmangin

Responsable de projet
Édition multi-supports
Raphaëlle Mourey

Assistante d'édition
Corinne Schulbaum

Conception graphique/Mise en page
DESK

AVANT-PROPOS

Ce livre de vocabulaire, inscrit dans la collection *Le Nouvel Entraînez-vous*, s'adresse à **un public de niveau intermédiaire** en français. Il sera un outil précieux pour **réviser et enrichir** les connaissances du vocabulaire dans des domaines variés de la vie courante.

Les thèmes des quinze chapitres correspondent aux contenus de méthodes d'apprentissage du français de 2e année. Ils sont choisis pour couvrir **de larges aspects de la vie courante** : entretenir des liens, parler de soi et des autres, suivre l'actualité à travers les médias, donner son opinion, faire des études, travailler en entreprise, faire face à des problèmes de la vie quotidienne, parler de peinture ou de littérature...

Dans chaque chapitre, les contenus lexicaux sont également présentés en suivant une difficulté **progressive : le lexique indispensable à la communication** est étudié en priorité, puis viennent des termes apportant une nuance et enfin sont proposées des expressions correspondant à une **langue plus familière**. L'ensemble des besoins langagiers sont ainsi couverts.

Les exercices sont aussi organisés selon un **parcours d'apprentissage construit**. Dans une première phase, l'apprenant peut observer des mots, les comparer, déduire leur sens. C'est une étape de découverte. Dans une deuxième phase, il va retrouver les mêmes mots dans des phrases, des éléments de dialogues, afin de mieux comprendre le contexte d'utilisation. Dans une troisième phase, il est amené à vérifier ses connaissances. À la fin de chaque chapitre, **deux bilans** permettent de contrôler la bonne assimilation des notions principales du chapitre.

Le vocabulaire s'apprend par **la répétition, le réemploi, l'appropriation**. Ces exercices, par la variété des approches, le renouvellement des contextes, l'implication de plus en plus forte de l'apprenant, favorisent cet **apprentissage** sans monotonie. Le **CD-ROM**, disponible au sein de cette collection, permettra de refaire les exercices jusqu'à ce que le contenu soit bien intégré. Il peut être aussi utilisé dans un contexte de **révisions**. Certains exercices sont sonorisés, ce qui permet d'apprendre la prononciation d'un grand nombre de mots.

Par ailleurs, il ne faut pas hésiter à utiliser ces exercices comme **préparation** pour des activités orales ou écrites, des conversations entre élèves ou avec un ami francophone. **L'interactivité est idéale** pour s'approprier le vocabulaire, et donc le mémoriser pour un réemploi en **situation authentique de communication**. Ainsi, on pourra comparer les éléments du livre avec la réalité de son pays, réutiliser les mots pour décrire ses propres expériences.

Afin de faciliter l'entraînement des étudiants en situation d'auto-apprentissage, chaque exercice trouve sa correction dans le livret *Corrigés*, placé à l'intérieur de l'ouvrage ; le professeur ou l'apprenant peut ainsi décider de le retirer ou de le conserver dès le début de l'apprentissage.

L'ambition de cet ouvrage est d'apporter à l'étudiant une plus grande **maîtrise** de la langue en lui permettant d'affiner sa **compétence de communication en français**.

Sommaire

I. DANS LA NATURE

A. Les animaux

1 **Notez (S) s'il s'agit d'un animal sauvage ou (D) d'un animal domestique.**

Exemple : une vache ***(D)***

a. un loup (   )
b. un cochon (   )
c. un ours (   )
d. un lion (   )
e. une chèvre (   )
f. un lapin (   )
g. un lièvre (   )
h. un renard (   )

2 **Cochez pour indiquer si chaque animal vit habituellement dans l'eau ou sur la terre ferme.**

Exemple : une baleine **1.** ☒ dans l'eau **2.** ☐ sur la terre ferme

a. un rhinocéros **1.** ☐ dans l'eau **2.** ☐ sur la terre ferme
b. une crevette **1.** ☐ dans l'eau **2.** ☐ sur la terre ferme
c. un écureuil **1.** ☐ dans l'eau **2.** ☐ sur la terre ferme
d. une truite **1.** ☐ dans l'eau **2.** ☐ sur la terre ferme
e. un ours **1.** ☐ dans l'eau **2.** ☐ sur la terre ferme
f. un requin **1.** ☐ dans l'eau **2.** ☐ sur la terre ferme
g. un hérisson **1.** ☐ dans l'eau **2.** ☐ sur la terre ferme
h. une girafe **1.** ☐ dans l'eau **2.** ☐ sur la terre ferme

3 **Reliez le mâle et la femelle.**

a. le cheval	1. la poule
b. le cochon	2. la chienne
c. le mouton	3. la truie
d. le bouc	4. la jument
e. le coq	5. la brebis
f. le lion	6. la lionne
g. le chien	7. la biche
h. le cerf	8. la chèvre

4 ***Souvenir d'un safari-photo.*** **Complétez avec :** *hippopotames, lions, sauvages, gazelles, éléphants, singes, oiseaux, girafes, zèbres*.

Exemple : Nous avons visité une réserve et nous avons vu beaucoup d'animaux ***sauvages***.

a. L'après-midi, les .... dormaient à l'ombre des arbres.
b. Les .... en profitaient pour courir et sauter en tous sens.
c. Les ...., avec leur long cou, se nourrissaient de feuilles en haut des arbres.
d. Un troupeau de .... est passé et on ne voyait plus que des rayures noires et blanches.
e. Dans une mare de boue, les .... se protégeaient de la chaleur en ne laissant que leur tête à l'extérieur.
f. Les .... s'approchaient de la voiture pour essayer de nous voler à manger.
g. Nous avons aussi vu de très jolis .... qui volaient autour de nous.
h. Le soir, les .... sont venus boire dans une mare. Leurs défenses nous ont impressionnés.

5 ***Avec quoi se défendent-ils ?*** **Reliez les éléments.**

a. le chat	1. ses bois
b. le taureau	2. ses défenses
c. l'éléphant	3. ses crocs
d. le chien	4. ses griffes
e. le cerf	5. ses piquants
f. l'oiseau	6. son odeur repoussante
g. le hérisson	7. ses cornes
h. le putois	8. son bec

6 ***Qu'ont-ils sur le dos ?*** **Reliez les éléments.**

a. l'oiseau	1. une coquille
b. le chat	2. des écailles
c. le mouton	3. des plumes
d. le poisson	4. de la laine
e. la tortue	5. des piquants
f. l'escargot	6. de la peau
g. le hérisson	7. une carapace
h. la grenouille	8. de la fourrure

7 Cochez pour indiquer où vit habituellement chaque animal.

Exemple : une vache **1.** ☒ dans un pré **2.** ☐ dans une rivière

a. un chien **1.** ☐ dans une niche **2.** ☐ dans un nid

b. les abeilles **1.** ☐ dans une cruche **2.** ☐ dans une ruche

c. un cheval **1.** ☐ à l'étable **2.** ☐ à l'écurie

d. un oiseau **1.** ☐ dans une niche **2.** ☐ dans un nid

e. un renard **1.** ☐ dans un terrier **2.** ☐ dans un nid

f. un écureuil **1.** ☐ dans la mer **2.** ☐ dans les arbres

g. une grenouille **1.** ☐ dans une mare **2.** ☐ dans la mer

h. un daim **1.** ☐ dans la forêt **2.** ☐ sous la terre

8 Reliez l'animal adulte et son petit.

a. le cheval — 1. le chiot

b. la vache — 2. le faon

c. le mouton — 3. le veau

d. le cerf — 4. le poulain

e. la poule — 5. l'agneau

f. le chien — 6. le poussin

g. le chat — 7. le lionceau

h. le lion — 8. le chaton

9 Rayez ce qui ne convient pas.

Exemple : Le cerf a des ~~boîtes~~/*bois* sur la tête.

a. Une vache a quatre *jambes/pattes*.

b. L'oiseau vole grâce à ses *ailes/yeux*.

c. La poule pond des *yeux/œufs*.

d. Les oiseaux ont *des dents/un bec*.

e. Sur le dos, un chameau a deux *bosses/bulles*.

f. On trouve les scorpions généralement dans *la forêt/le désert*.

g. La faune, c'est l'ensemble des *animaux/végétaux* que l'on trouve dans une zone délimitée.

h. La flore, c'est l'ensemble des *animaux/végétaux* que l'on trouve dans une zone délimitée.

10 Reliez l'animal à l'endroit où il vit habituellement.

a. le chameau — 1. dans une niche

b. la fourmi — 2. dans la mer

c. le cygne — 3. sous la terre

d. le dauphin — 4. dans le désert

e. l'ours — 5. sur un lac

f. le chien — 6. dans les montagnes

g. le lapin — 7. dans la savane

h. l'autruche — 8. dans un terrier

11 *Les insectes.* Cochez la bonne réponse.

Exemple : C'est un insecte rouge avec des points noirs.
1. ☐ le scarabée **2.** ☒ la coccinelle

a. Elle fabrique du miel.
1. ☐ l'abeille **2.** ☐ la mouche

b. Il vit près de l'eau et on craint ses piqûres.
1. ☐ le papillon **2.** ☐ le moustique

c. Elle fabrique une toile pour se défendre.
1. ☐ la fourmi **2.** ☐ l'araignée

d. En été, près de la Méditerranée, on l'entend « chanter ».
1. ☐ la cigale **2.** ☐ la guêpe

e. Ses ailes peuvent être magnifiquement décorées.
1. ☐ le papillon **2.** ☐ l'abeille

f. C'est une petite mouche.
1. ☐ le moucheron **2.** ☐ le mousseron

g. Elle est toute petite, elle n'a pas d'ailes et se nourrit de sang.
1. ☐ la puce **2.** ☐ la guêpe

h. Elles ont de longues pattes pour sauter, elles peuvent dévaster les cultures.
1. ☐ les fourmis **2.** ☐ les sauterelles

12 *Les oiseaux.* Complétez avec : *mouette, moineau, pigeon, pingouin, canard, aigle, paon, hibou, perroquet.*

Exemple : C'est un petit oiseau très courant, brun et gris : le ***moineau***.

a. Il est commun en ville, il est assez gros, certaines espèces se mangent : le ....
b. Il a l'air ridicule quand il marche mais c'est un excellent nageur : le ....
c. Il a généralement de jolies couleurs vives, son bec est crochu, il peut imiter la voix humaine : le ....
d. Quand le mâle fait la roue, il déploie ses plumes magnifiques : le ....
e. C'est un oiseau de mer généralement blanc et gris : la ....
f. C'est un oiseau nageur, son dos est noir et son ventre blanc : le ....
g. Ce rapace se précipite sur sa proie qu'il attrape avec ses griffes puissantes : l'............
h. C'est un oiseau qui chasse la nuit, il a de grands yeux immobiles : le ....

13 *Un cauchemar.* Complétez avec : *cabane, serpents, loups, forêt, araignée, scarabée, chauves-souris, rêve, hibou.*

Exemple : Je vous raconte mon dernier ***rêve***.

a. C'est la nuit, je suis seul dans une .... immense.
b. Au loin, j'entends le cri des ....
c. Je marche et je vois une .... dans laquelle j'entre.
d. Une centaine de .... pendent au plafond. Si je bouge, elles vont sans doute se jeter sur moi.

e. Je me rends compte que sur le sol rampent des ....

f. En me regardant dans un miroir accroché au mur, je réalise que je me suis transformé en une énorme .... aux pattes velues.

g. J'ouvre une porte qui donne sur un tunnel. Je marche et j'arrive sur une branche d'arbre à côté d'un .... qui fixe sur moi ses grands yeux ronds.

h. Je me laisse tomber par terre. Je suis maintenant un gros .... noir et je cours avec toute la force de mes six pattes pour rentrer chez moi et me coucher.

14 Reliez l'animal au verbe qui désigne son cri.

a. un cheval →	1. miauler
b. un loup	2. hennir
c. un mouton	3. aboyer
d. un chien	4. hurler
e. un chat	5. bourdonner
f. un lion	6. siffler
g. une abeille	7. rugir
h. un oiseau	8. bêler

15 Cochez l'onomatopée correspondant au cri de l'animal.

Exemple : une chèvre **1.** ☐ meuh ! **2.** ☒ mêêê !

a. un chien	**1.** ☐ oua-oua !	**2.** ☐ ouai-ouai !
b. un chat	**1.** ☐ milou !	**2.** ☐ miaou !
c. un âne	**1.** ☐ ha-ha !	**2.** ☐ hi-han !
d. un coq	**1.** ☐ coucou !	**2.** ☐ cocorico !
e. un mouton	**1.** ☐ bêêê !	**2.** ☐ bzzz !
f. une vache	**1.** ☐ mouh !	**2.** ☐ meuh !
g. une abeille	**1.** ☐ bzzzz !	**2.** ☐ plouk !
h. un oiseau	**1.** ☐ cui-cui !	**2.** ☐ oui-oui !

16 Rayez l'animal qui a le moins de points communs avec les deux autres.

Exemple : le cheval – l'étalon – ~~le loup~~

a. une limace – un crapaud – une grenouille

b. une abeille – une guêpe – un moustique

c. une souris – un rat – un serpent

d. une autruche – une baleine – un cachalot

e. une chouette – un hibou – une souris

f. un paon – un faon – une autruche

g. un crocodile – un caïman – une tortue

h. un buffle – un dromadaire – un chameau

17 ***Que mangent-ils ?*** **Cochez pour indiquer si c'est vrai ou faux.**

Exemple : Un lapin se nourrit de pollen. **1.** ☐ vrai **2.** ☒ faux

a. Une poule se nourrit de graines et de vers de terre.
1. ☐ vrai **2.** ☐ faux

b. Les lions chassent les gazelles pour se nourrir.
1. ☐ vrai **2.** ☐ faux

c. Une vache broute de l'herbe et du foin.
1. ☐ vrai **2.** ☐ faux

d. Un cheval mange du poisson.
1. ☐ vrai **2.** ☐ faux

e. Un agneau se nourrit de lait.
1. ☐ vrai **2.** ☐ faux

f. Un oiseau se nourrit surtout de graines, d'insectes et de fruits.
1. ☐ vrai **2.** ☐ faux

g. Une abeille se nourrit de viande.
1. ☐ vrai **2.** ☐ faux

h. Une tortue adore la salade.
1. ☐ vrai **2.** ☐ faux

18 **Cochez pour répondre à ces questions (1 ou 2 réponses possibles).**

Exemple : C'est un animal qui vit dans l'eau. **1.** ☐ la souris **2.** ☒ la baleine

a. C'est un animal qui a une queue.
1. ☐ le chat **2.** ☐ la souris

b. C'est un animal qui a une gueule.
1. ☐ le chien **2.** ☐ l'oiseau

c. C'est un animal qui a un museau.
1. ☐ le chien **2.** ☐ le rat

d. C'est un animal qui a des ailes.
1. ☐ la chèvre **2.** ☐ le papillon

e. C'est un animal qui mange de l'herbe.
1. ☐ la vache **2.** ☐ le cachalot

f. C'est un animal qui pond des œufs.
1. ☐ le coq **2.** ☐ la poule

g. C'est un animal qui a de la fourrure.
1. ☐ l'ours **2.** ☐ le chat

h. C'est un animal qui porte une coquille.
1. ☐ la grenouille **2.** ☐ l'escargot

19 **Complétez avec le nom de l'animal qui convient :** *ours, autruche, requin, loup, souris, girafe, chameau, éléphant, baleine.*

Exemple : C'est un oiseau qui court très vite : l'***autruche***.

a. Il a une trompe et deux défenses : l' ....

b. Elle a un très long cou : la ....

c. C'est une sorte de chien sauvage : le ....
d. Il a une fourrure blanche ou brune, ses coups de griffes peuvent être terribles : l' ....
e. C'est un poisson carnivore de grande taille, capable de s'attaquer à l'homme : le ....
f. C'est un énorme mammifère marin : la ....
g. Elle est toute petite, vit dans un trou et se nourrit de fromage : la ....
h. Il a deux bosses et se rencontre dans le désert : le ....

20 **On utilise des noms d'animaux dans de nombreuses expressions courantes. Complétez avec :** *mouche, éléphant, requin, loup, lion, guêpe, ours, poule, chien.*

Exemple : Il a une mémoire d'***éléphant***.

a. Elle est très mince, elle a une taille de ....
b. Tiens, justement on parlait de lui. Quand on parle du ...., on en voit la queue !
c. Il est complètement asocial, c'est un vrai ....
d. Elle couve ses enfants, c'est une vraie mère ....
e. Il est très dur en affaires, c'est un .... de la finance.
f. Il a eu une vie misérable, une vie de ....
g. Il est très doux, il ne ferait pas de mal à une ....
h. Il déteste rester enfermé, il tourne comme un .... en cage.

B. Les végétaux

21 **Reliez chaque fruit à l'arbre sur lequel il pousse.**

a. la pomme →	1. le cocotier
b. la poire	→ 2. le pommier
c. la noix	3. le pêcher
d. la pêche	4. le noyer
e. la banane	5. l'abricotier
f. la noix de coco	6. le bananier
g. l'abricot	7. l'olivier
h. l'olive	8. le poirier

22 **Cochez pour indiquer si c'est une plante aromatique (on l'utilise en cuisine pour son goût), comestible (on la mange) ou seulement décorative.**

Exemple : le thym **1.** ☒ aromatique **2.** ☐ comestible **3.** ☐ décorative

a. le laurier	**1.** ☐ aromatique	**2.** ☐ comestible	**3.** ☐ décorative
b. le lierre	**1.** ☐ aromatique	**2.** ☐ comestible	**3.** ☐ décorative
c. l'oseille	**1.** ☐ aromatique	**2.** ☐ comestible	**3.** ☐ décorative
d. la menthe	**1.** ☐ aromatique	**2.** ☐ comestible	**3.** ☐ décorative
e. l'anis	**1.** ☐ aromatique	**2.** ☐ comestible	**3.** ☐ décorative
f. le cresson	**1.** ☐ aromatique	**2.** ☐ comestible	**3.** ☐ décorative
g. le basilic	**1.** ☐ aromatique	**2.** ☐ comestible	**3.** ☐ décorative
h. le nénuphar	**1.** ☐ aromatique	**2.** ☐ comestible	**3.** ☐ décorative

23 Reliez les éléments pour indiquer la provenance.

a. la cacahuète
b. le liège
c. le sucre
d. un colorant bleu
e. le safran
f. le caoutchouc
g. la mûre
h. le cacao

1. l'hévéa
2. l'arachide
3. l'indigo
4. la canne à sucre ou la betterave
5. les ronces
6. le crocus
7. le cacaoyer
8. les chênes verts

24 Cochez pour indiquer si chaque élément correspond à l'arbre, à la fleur ou aux deux.

Exemple : la branche **1.** ☒ l'arbre **2.** ☐ la fleur **3.** ☐ les deux

a. la tige **1.** ☐ l'arbre **2.** ☐ la fleur **3.** ☐ les deux
b. le tronc **1.** ☐ l'arbre **2.** ☐ la fleur **3.** ☐ les deux
c. les pétales **1.** ☐ l'arbre **2.** ☐ la fleur **3.** ☐ les deux
d. les bourgeons **1.** ☐ l'arbre **2.** ☐ la fleur **3.** ☐ les deux
e. l'écorce **1.** ☐ l'arbre **2.** ☐ la fleur **3.** ☐ les deux
f. les racines **1.** ☐ l'arbre **2.** ☐ la fleur **3.** ☐ les deux
g. le pollen **1.** ☐ l'arbre **2.** ☐ la fleur **3.** ☐ les deux
h. les feuilles **1.** ☐ l'arbre **2.** ☐ la fleur **3.** ☐ les deux

25 Notez pour chaque situation si elle se produit généralement au printemps (P), en été (E), en automne (A) ou en hiver (H).

Exemple : Les feuilles des arbres jaunissent. ***(A)***

a. Les bourgeons apparaissent sur les arbres. (   )
b. Les feuilles tombent des arbres. (   )
c. Les pollens se répandent dans l'air. (   )
d. La plupart des arbres ont l'air morts. (   )
e. Beaucoup d'arbres sont en fleurs. (   )
f. La terre est gelée. (   )
g. On fait la moisson dans les champs. (   )
h. On fait la vendange des raisins. (   )

26 Complétez avec : *feuilles, fleurs, faner, vendanges, bourgeons, moisson, récolte, arroser, engrais.*

Exemple : Au printemps, de nombreux arbres sont en ***fleurs***.

a. Au printemps, les .... apparaissent sur les arbres.
b. La plupart des arbres perdent leurs .... en automne.
c. Pour que tout pousse plus vite dans le jardin, on ajoute généralement de l'....................
d. Pour éviter la sécheresse, il faut ....

e. Les fleurs finissent par .... avant de mourir.
f. Quand les fruits ou les légumes sont mûrs, on les ramasse, c'est la ....
g. En été, on coupe les céréales, c'est la ....
h. Quand les raisins sont mûrs pour faire le vin, on fait les ....

27 **Reliez les éléments pour reconstituer ces présentations de végétaux.**

a. Le nénuphar
b. La rose
c. Le cactus
d. Le muguet
e. La pâquerette
f. L'orchidée
g. Le tournesol
h. Le trèfle

1. a des clochettes blanches qui sentent très bon ; il est très recherché en mai.
2. a un centre jaune entouré de pétales blancs.
3. pousse sur l'eau d'un lac.
4. est adapté au climat sec.
5. s'oriente vers le soleil.
6. porte chance quand il a quatre feuilles.
7. a un nombre impressionnant de variétés, surtout dans les régions chaudes.
8. a une beauté et un parfum exceptionnels.

28 **Rayez l'élément qui ne convient pas.**

Exemple : des plantes que l'on peut manger en salade :
le pissenlit – le cresson – ~~l'ortie~~ – la laitue

a. des champignons : le cèpe – la girolle – la limace – la truffe
b. des arbres utilisés pour leur bois : le chêne – le pin – le teck – le mimosa
c. des céréales : l'avoine – le maïs – le tilleul – le blé
d. des arbres pouvant être géants : le genêt – le baobab – le cèdre – le séquoia
e. des plantes aromatiques : l'aneth – la ciboulette – la ciguë – le fenouil
f. des plantes dont les racines sont utilisées en cuisine :
le manioc – le gingembre – l'ortie – le navet
g. des arbres dont on mange les fruits : le noyer – le noisetier – l'amandier – le citronnier
h. des végétaux qui ont des fleurs jaunes : le genêt – le mimosa – l'ananas – la jonquille

29 **On utilise des noms de végétaux dans des expressions courantes. Reliez chaque expression à l'explication qui correspond.**

a. Elle a un pois chiche dans la tête.
b. Elle a un teint de pêche.
c. Elle est fleur bleue.
d. C'est une grande asperge.
e. Elle m'a envoyé sur les roses.
f. Elle m'a fait une fleur.
g. Elle est tombée dans les pommes.
h. Elle mange les pissenlits par la racine.

1. Elle a la peau douce et rose.
2. Elle m'a accordé une faveur.
3. Elle est grande et maigre.
4. Elle n'est pas particulièrement intelligente.
5. Elle est très sentimentale.
6. Elle est enterrée au cimetière.
7. Elle s'est évanouie.
8. Elle a refusé de me donner satisfaction.

C. Les paysages

30 **Cochez pour indiquer à quel paysage correspond chaque élément.**

Exemple : une dune **1.** ☒ le désert **2.** ☐ la montagne

a. une falaise **1.** ☐ un lac **2.** ☐ la côte
b. un sommet **1.** ☐ la montagne **2.** ☐ la plaine
c. des champs **1.** ☐ la montagne **2.** ☐ la plaine
d. un cratère **1.** ☐ un volcan **2.** ☐ un marais
e. de l'eau stagnante **1.** ☐ un lac **2.** ☐ un marais
f. une vaste étendue plate en altitude **1.** ☐ la montagne **2.** ☐ un plateau
g. un fleuve **1.** ☐ la montagne **2.** ☐ la vallée
h. une pente douce **1.** ☐ un pic **2.** ☐ une colline

31 ***Un voyage en Angleterre.*** **Complétez avec :** *collines, côte, forêt, chutes, fleuve, falaises, plaines, marais, champs.*

Exemple : Nous avons pris le ferry. Nous sommes arrivés sur la ***côte*** sud.

a. Nous avons vu les grandes .... blanches.
b. L'autocar a traversé de jolies .... vertes.
c. Il y avait des .... de blé et de maïs.
d. On s'est arrêtés pour visiter un .... en barque.
e. On a pique-niqué au bord d'un ....
f. Nous avons vu des .... d'eau.
g. Le lendemain, nous avons traversé une région vallonnée, avec des ....
h. Nous avons fait une promenade dans la ....

32 ***L'eau dans la nature.*** **Complétez avec :** *étang, nuage, goutte, lac, flaque, bassin, océan, mare, mer.*

Exemple : C'est de l'eau en suspension dans l'air : un ***nuage***.

a. C'est la plus petite quantité d'eau possible : une ....
b. C'est une très petite quantité d'eau stagnante, par exemple sur un chemin : une ....
c. C'est une petite quantité d'eau stagnante, par exemple dans un champ : une ....
d. C'est une petite étendue d'eau aménagée artificiellement : un ....
e. C'est une étendue d'eau, par exemple dans un champ : un ....
f. C'est une étendue d'eau plus grande : un ....
g. C'est une très grande étendue d'eau salée fermée : une ....
h. C'est une très grande étendue d'eau salée ouverte : un ....

33 **Rayez l'élément qui ne convient pas.**

Exemple : des pierres : un rocher – un caillou – un galet – ~~une source~~

a. les montagnes : l'altitude – un mont – le littoral – un sommet
b. la mer : la côte – le littoral – la profondeur – un sommet
c. un fleuve : un delta – le débit – une dune – la source
d. le désert : un genêt – une dune – une oasis – un cactus

e. de l'eau : une chute – une cascade – une algue – un geyser
f. la mer : la marée – une île – une mare – la barrière de corail
g. la pluie : la mousson – une averse – une goutte – une île
h. une carte : l'échelle – un atlas – une escale – le nord

34 ***Voici une présentation de la Corse.*** **Complétez avec :** *montagnes, île, vallées, côtes, golfes, paysages, littoral, mer, sommet.*

Exemple : La Corse est une ***île***.

a. Elle est située dans la .... Méditerranée.
b. Elle se trouve au sud des .... françaises.
c. Au centre, il y a des .... assez hautes.
d. Le .... est à 2 710 mètres, c'est le mont Cinto.
e. Dans ces massifs, il y a des .... profondes.
f. Le .... est plus découpé à l'Ouest qu'à l'Est.
g. La côte occidentale comporte de nombreux ....
h. Les .... sont grandioses.

35 **Reliez les éléments qui correspondent.**

a. un croissant	1. des vents
b. une chute	2. d'horizon
c. une rose	3. de lune
d. la ligne	4. de neige
e. un rayon	5. de sable
f. un flocon	6. de soleil
g. une goutte	7. de pluie
h. un grain	8. d'eau

36 ***Un paysage nocturne.*** **Complétez avec :** *sombre, lune, ciel, satellites, étoiles, Voie lactée, constellations, croissant, étoiles filantes.*

Exemple : Nous levons les yeux vers le ***ciel***.

a. Nous voyons briller les ....
b. Certaines forment notre galaxie, la ....
c. D'autres forment des figures, ce sont les ....
d. D'autres encore semblent tomber sur la Terre, ce sont les ....
e. Il ne fait pas trop ....
f. La .... brille.
g. Elle a la forme d'un ....
h. On voit parfois passer des .... qui sont en rotation autour de la Terre.

D. LES MANIFESTATIONS DE LA NATURE

37 **Reliez chaque manifestation naturelle à l'élément qui correspond.**

a. une inondation
b. la foudre
c. une avalanche
d. une éruption
e. une tempête
f. un tremblement de terre
g. un raz-de-marée
h. une crue

1. l'écorce terrestre
2. l'eau
3. un volcan
4. la neige
5. la mer
6. le vent
7. un fleuve
8. l'orage

38 **Complétez avec :** *crue, tremblement, sécheresse, boue, arc-en-ciel, fonte, réchauffement, lave, stalactites.*

Exemple : La ville a été partiellement détruite par un ***tremblement*** de terre.

a. Il y avait du soleil pendant la pluie, nous avons vu un bel ....
b. À la fin de l'hiver, la montée de la température en montagne provoque la .... des neiges.
c. Le volcan était en éruption, nous avons vu la .... en fusion couler sur les pentes.
d. Dans cette grotte, on peut observer de magnifiques ....
e. La .... du fleuve a provoqué des inondations désastreuses.
f. Les pluies torrentielles ont provoqué des coulées de ....
g. Cette région manque de pluie et souffre de la ....
h. L'effet de serre serait responsable du .... de la planète.

39 **Reliez les explications aux différents états de l'eau.**

a. C'est de l'eau qui sort naturellement du sol.
b. Elle se dépose le matin dans les champs.
c. Elle vient du ciel et arrose la terre.
d. Elle tombe en flocons.
e. Elle tombe en petites boules de glace.
f. Il se caractérise par de très fortes pluies avec des vents très violents.
g. C'est un jet intermittent d'eau chaude.
h. C'est une énorme vague dévastatrice.

1. un raz-de-marée
2. la rosée
3. la grêle
4. la neige
5. un geyser
6. un cyclone
7. une source
8. la pluie

Bilans

40 **Des amis discutent. Complétez certains mots de leur conversation.**

Olivier *Qu'est-ce qu'on fait ce week-end ?*

Caroline *Francis nous invite dans sa maison de campagne.*

Olivier *On va s'ennuyer, non ?*

Caroline *C'est dans une jolie région, avec des petites montagnes, des c................................ **(1)**. Il dit qu'il y a plein de choses à faire. La maison est au bord d'une r................................ **(2)**. On peut faire de la barque et pêcher la t................................ **(3)**. Et dans la région, il y a une forêt avec des c................................ **(4)** d'eau. Lui, il est passionné de botanique. Il se lève à l'aube, il aime marcher dans les champs mouillés par la r................................ **(5)** et il observe les plantes, les fleurs, les insectes.*

Patrice *Vous ne connaissez pas un copain qui a une maison aux portes du désert par hasard ? Moi, je marcherais plutôt dans le sable des d................................ **(6)**.*

Caroline *Oui, je t'imagine bien sur le dos d'un c................................ **(7)** en train de hurler parce que tu as vu un scorpion.*

Olivier *Si on allait sur la c................................ **(8)** ? J'adore la mer, me promener sur les f................................ **(9)** et regarder l'horizon.*

Patrice *Un peu monotone, quand même !*

Caroline *On peut marcher sur les r................................ **(10)** et chercher des coquillages. Le soir, on se fera un feu sur le sable et on regardera les étoiles f................................ **(11)**.*

Patrice *Quel romantisme !*

Olivier *Et le lendemain, on pourra observer le vol des o................................ **(12)** dans une réserve.*

Patrice *Si on allait plutôt au cinéma. Il y a un très beau film sur la nature sauvage.*

41 **Dans son cabinet, le docteur Schlutz, spécialiste des troubles du langage à Lausanne, s'entretient avec un patient qui utilise parfois un mot pour un autre. Complétez avec le mot correct.**

Le patient *En ce moment, je rêve que je suis une vache. Je suis dans mon pré et je cours, je découvre la sensation d'avoir quatre* jambes.

Le docteur *Vous voulez dire quatre p................................ **(1)**.*

Le patient *Oui, docteur, c'est ce que j'ai dit. Et dans mon rêve, je peux voler car j'ai deux* balles.

Le docteur *Deux a................................ **(2)** !*

Le patient *Et comme les chats, j'ai le corps couvert de* bavures.

Le docteur *Vous êtes couvert de f................................ **(3)**. En somme, vous êtes comme une grosse abeille !*

Le patient *Oui, c'est ça, et sur la tête, comme les taureaux, j'ai deux* coudes.

Le docteur *Deux c................................ **(4)**.*

Le patient *Elles sont en or, elles brillent, et je peux voir la route.*

Le docteur *Vous buvez quoi avant de dormir ?*

Le patient *Rien, docteur. Je ne sais pas d'où ça vient, tout ça. Je me promène dans le ciel, entre la lune et les* côtelettes *qui brillent.*

Le docteur *Les é................................ **(5)** !*

Le patient *Absolument. Je passe au-dessus de ma maison, je vois le chien qui dort dans sa* peluche.

Le docteur *Dans sa n................................ **(6)**.*

Le patient *À côté, je vois un grand cerf avec sa femelle, une* douche.

Le docteur *Vous voulez dire une b................................ **(7)**.*

Le patient *Finalement, je me pose au pied d'un arbre. Je gratte par terre et je finis par voir les* bassines *de l'arbre.*

Le docteur *Les r................................ **(8)**.*

Le patient *C'est grave, docteur ?*

Le docteur *On va voir ça...*

II. DÉCRIRE UNE PERSONNE

A. L'ASPECT PHYSIQUE

42 *Vous parlez de quelqu'un.* **Rayez l'élément qui n'a pas le même sens.**

Exemple : charmant – séduisant – ~~moulant~~ – attirant

a. bon – beau – joli – mignon
b. laid – horrible – affreux – méchant
c. négligé – soigné – net – impeccable
d. musclé – typé – costaud – fort
e. l'air – la taille – la physionomie – l'expression
f. la silhouette – l'allure – le pli – la ligne
g. poilu – moustachu – barbu – joufflu
h. rasé – barbu – imberbe – épilé

43 **Rayez ce qui ne convient pas.**

Exemple : Il n'est pas vraiment beau, mais il est *mignon/~~laid~~.*

a. Il n'est pas beau, il est *laid/mignon*.
b. Il n'est pas mince, il est *court/costaud*.
c. Il est très masculin, il est *machiste/viril*.
d. Il a un beau visage, il a les traits *fins/anguleux*.
e. Il a un dessin sur la peau, c'est *une cicatrice/un tatouage*.
f. Elle est toujours bien coiffée, bien habillée, elle est bien *récurée/soignée*.
g. Elle a du charme, elle est *séduisante/séduite*.
h. Il aime séduire, c'est un *conducteur/séducteur*.

44 **Complétez avec :** *élégante, mesure, soigné, ride, soin, porte, pèse, plaire, musclé.*

Exemple : Il ***mesure*** 1,80 m.

a. Il .... 70 kg.
b. Il .... une barbe.
c. C'est un séducteur, il aime ....
d. Il fait attention à son apparence, il est toujours très ....
e. Il fait du sport, il est plutôt ....
f. Sa femme est très ....
g. Elle prend .... de sa silhouette.
h. Elle n'a pas une .... sur le visage.

45 Notez (M) si la phrase désigne quelqu'un de mince ou (G) quelqu'un de gros.

Exemple : Il est obèse. ***(G)***

a. Il est maigrichon. (   )
b. Elle est enrobée. (   )
c. Il a du ventre. (   )
d. C'est un fil de fer. (   )
e. Ils sont corpulents. (   )
f. Il est grassouillet. (   )
g. Il est fluet. (   )
h. Il est enveloppé. (   )

46 *Les yeux.* Reliez les phrases qui ont le même sens.

a. Il a des yeux de type asiatique.
b. Il a les yeux légèrement allongés.
c. Il a des cercles foncés autour des yeux.
d. Il a une trace de coup à l'œil.
e. Ses deux yeux ne regardent pas dans la même direction.
f. Il a les yeux proéminents.
g. Il a de bons yeux.
h. Il ferme un œil un court instant.

1. Il a un coquart.
2. Il a une bonne vue.
3. Il a les yeux globuleux.
4. Il a les yeux cernés.
5. Il a les yeux bridés.
6. Il louche.
7. Il fait un clin d'œil.
8. Il a les yeux en amande.

47 *Les cheveux.* Complétez avec : *calvitie, frisée, tressé, mèche, coiffée, perd, raie, épilé, teint.*

Exemple : Elle n'a pas les cheveux raides, elle est ***frisée***.

a. Il a les cheveux blonds avec une .... sur le côté.
b. Il a une longue .... sur le front.
c. Elle s'est .... les cheveux en brun.
d. Il .... ses cheveux.
e. Il a un début de ....
f. Elle a .... ses cheveux pour faire des nattes.
g. Elle a un très bon coiffeur, elle est toujours bien ....
h. Elle s'est .... les sourcils.

48 ***Les cheveux.*** **Reliez les phrases qui ont le même sens.**

a. Il n'a plus beaucoup de cheveux.
b. Il a perdu tous ses cheveux.
c. On lui a enlevé tous ses cheveux.
d. Il n'a ni barbe, ni moustache.
e. Il est brun avec des cheveux gris.
f. Elle ramène ses cheveux vers l'arrière. →
g. Elle roule ses cheveux
et les attache sur la tête.
h. Elle porte de faux cheveux.

1. Il est imberbe.
2. Il a le crâne rasé.
3. Il est dégarni.
4. Elle a un chignon.
5. Elle a une perruque.
6. Il a les cheveux poivre et sel.
7. Elle a les cheveux tirés en arrière.
8. Il est chauve.

49 **Reliez chaque phrase à l'expression familière de même sens.**

a. Il a un gros ventre.
b. Il a un ventre plat
et on voit ses abdominaux.
c. Il est laid.
d. Il est habillé avec beaucoup
de soin.
e. Il reste mince. →
f. Il a un défaut de prononciation.
g. Il est complètement chauve.
h. Il a le nez retroussé.

1. Il est tiré à quatre épingles.
2. C'est un crâne d'œuf.
3. Il a de la brioche.
4. Il est moche.
5. Il a le nez en trompette.
6. Il a des tablettes de chocolat.
7. Il a un cheveu sur la langue.
8. Il a la ligne.

B. Le caractère

50 **Cochez la définition correspondant à chaque trait de caractère.**

Exemple : Il est généreux. **1.** ☒ Il aime offrir des choses.
2. ☐ Il manque de courage.

a. Il est franc.
1. ☐ Il dit exactement ce qu'il pense.
2. ☐ Il est obsédé par son argent.

b. Il est égoïste.
1. ☐ Il est gentil avec les autres.
2. ☐ Il pense d'abord à lui.

c. Il est radin.
1. ☐ Il a souvent peur.
2. ☐ Il n'aime pas dépenser son argent.

d. Il est hypocrite.
1. ☐ Il n'est pas sympathique.
2. ☐ Il cache ce qu'il pense.

e. Il est bête.
   1. □ Il n'est pas intelligent.
   2. □ Il aime les animaux.
f. Il est joyeux.
   1. □ Il est gai.
   2. □ Il aime faire plaisir à ses amis.
g. Il est courageux.
   1. □ Il a beaucoup de chance.
   2. □ Il n'a pas peur.
h. Il est sympathique.
   1. □ Il est agréable, tout le monde l'aime.
   2. □ Il est compréhensif quand quelqu'un est triste.

51 **Notez (Q) s'il s'agit d'une qualité ou (D) d'un défaut.**

Exemple : Il est vraiment gentil. ***(Q)***

a. C'est quelqu'un de franc. (   )
b. Elle est très aimable. (   )
c. Il est radin. (   )
d. Il est vraiment peureux. (   )
e. Ils sont très hypocrites. (   )
f. Il est généreux. (   )
g. C'est une personne très égoïste. (   )
h. C'est quelqu'un de joyeux. (   )

52 **Reliez chaque adjectif au nom qui correspond.**

a. gentil	1. la peur
b. aimable	2. le courage
c. généreux	3. la joie
d. joyeux	4. la franchise
e. courageux	5. la générosité
f. peureux	6. la politesse
g. franc	7. la gentillesse
h. poli	8. l'amabilité

53 **Complétez avec le nom correspondant à l'adjectif.**

Exemple : Il est très franc, j'apprécie beaucoup sa ***franchise***.

a. C'est quelqu'un de généreux, il fait preuve d'une grande ....
b. C'est une personne joyeuse, elle dégage beaucoup de ....
c. Il est peureux, il a toujours ....
d. Il est vraiment aimable, j'apprécie son ....
e. Ce garçon est toujours très poli, il se comporte avec ....
f. Il est courageux, il fait preuve de ....
g. Il est tellement gentil, tout le monde aime sa ....
h. C'est quelqu'un d'intelligent, on reconnaît son ....

54 Complétez avec le contraire (parfois plusieurs possibilités).

Exemple : Il est très radin ? – Non, il est très ***généreux***.

a. Il est peureux ? – Non, il est très ....

b. Il est méchant ? – Non, il est très ....

c. Il est désagréable ? – Non, il est vraiment ....

d. Il est bête ? – Non, il est vraiment ....

e. Il est impoli ? – Non, il est vraiment ....

f. Il est triste ? – Non, il est toujours ....

g. Il est hypocrite ? – Non, il est tout à fait ....

h. Il est antipathique ? – Non, il est très ....

55 Cochez la phrase qui a le même sens.

Exemple : Il est gentil avec les gens.

1. ☐ Il est franc. **2.** ☒ Il est aimable.

a. Il n'hésite pas à aider les autres.

1. ☐ Il est serviable.

2. ☐ Il est courageux.

b. Elle aime parler.

1. ☐ Elle est franche.

2. ☐ Elle est bavarde.

c. Il pose beaucoup de questions.

1. ☐ Il est sérieux.

2. ☐ Il est curieux.

d. Elle travaille beaucoup.

1. ☐ Elle est bavarde.

2. ☐ Elle est travailleuse.

e. Il a de l'énergie.

1. ☐ Il est dynamique.

2. ☐ Il est sensible.

f. Il aime faire rire.

1. ☐ Il est amusant.

2. ☐ Il est intéressant.

g. Il est accueillant.

1. ☐ Il aime rire.

2. ☐ Il est aimable avec les visiteurs.

h. Il est patient.

1. ☐ Il attend sans s'énerver.

2. ☐ Il montre beaucoup de passion.

56 Reliez chaque mot et son contraire.

a. amusant	1. discret
b. accueillant	2. mou
c. dynamique	3. impatient
d. bavard	4. ennuyeux
e. travailleur	5. égoïste
f. curieux	6. paresseux
g. serviable	7. silencieux
h. patient →	8. désagréable

57 Complétez avec le nom correspondant à l'adjectif.

Exemple : courageux → le ***courage***

a. curieux → la ....
b. paresseux → la ....
c. méchant → la ....
d. discret → la ....
e. égoïste → l'..
f. sensible → la ....
g. patient → la ....
h. ennuyeux → l'..

58 Notez (=) si les deux mots ont le même sens, sinon notez (≠).

Exemple : drôle – amusant ***(=)***

a. travailleur – paresseux ( )
b. poli – impoli ( )
c. accueillant – amical ( )
d. énergique – dynamique ( )
e. serviable – aimable ( )
f. ennuyant – amusant ( )
g. curieux – discret ( )
h. patient – impatient ( )

59 Cochez la qualité qui correspond le mieux à chaque métier.

Exemple : Une vendeuse doit être ☐ désagréable ☒ serviable.

a. Pour un professeur, c'est mieux d'être ☐ patient ☐ impatient.
b. Une hôtesse de l'air a besoin d'être ☐ bavarde ☐ accueillante.
c. Les journalistes sont généralement ☐ paresseux ☐ curieux.
d. Pour devenir médecin, il faut être ☐ sensible ☐ intelligent.
e. Un chef d'entreprise est généralement ☐ dynamique ☐ drôle.
f. Pour être commerçant, il vaut mieux être ☐ travailleur ☐ paresseux.
g. Un psychologue doit être ☐ sensible ☐ agressif.
h. Pour un maître d'hôtel, il vaut mieux être ☐ poli ☐ impoli.

60 Rayez l'élément qui n'a pas le même sens.

Exemple : drôle – amusant – ~~ennuyeux~~

a. discret – bavard – réservé
b. sensible – intelligent – malin
c. poli – bien élevé – grossier
d. aimable – mal élevé – sympathique
e. discret – indiscret – curieux
f. souriant – accueillant – agressif
g. serviable – radin – disponible
h. dynamique – mou – énergique

61 Reliez chaque phrase à l'expression familière de même sens.

a. Il est amusant.
b. Il est pénible.
c. Il est fou.
d. Il est rêveur.
e. Il est radin.
f. Il est généreux.
g. Il n'est pas franc.
h. Il est paresseux. → 7

1. Il est dans la lune.
2. C'est un faux-jeton.
3. Il a le cœur sur la main.
4. Il est dingue.
5. Il est rigolo.
6. Il est près de ses sous.
7. Il est feignant.
8. Il est embêtant.

62 Complétez avec : *rigolo, aimable, feignante, rêveur, radine, intelligent, franc, sensible, embêtant.*

Exemple : J'aime bien aller dans cette boulangerie, la vendeuse est très ***aimable***.

a. On ne sait jamais ce qu'il pense, il n'est pas ....
b. Elle est près de ses sous, elle est ....
c. Il est toujours dans la lune, c'est un ....
d. Ce travail m'ennuie, c'est vraiment ....
e. Il nous fait toujours rire, il est vraiment ....
f. Elle n'est pas travailleuse, c'est une ....
g. Je pense qu'il peut comprendre vos sentiments, c'est quelqu'un de ....
h. Je pense qu'il va réussir tous ses examens, il est tellement ....

63 Cochez la phrase qui exprime la même idée.

Exemple : Elle a le cœur sur la main.

1. ☐ Elle est courageuse. **2.** ☒ Elle est généreuse.

a. Il est toujours de bonne humeur.
1. ☐ Il est toujours gai.
2. ☐ Il est bien élevé.

b. Il est très sensible.
1. ☐ Il est d'une grande intelligence.
2. ☐ Il est facilement ému.

c. Il est distrait.

1. ☐ Il ne fait pas de bruit.

2. ☐ Il n'est pas très attentif.

d. Cet enfant est très malin.

1. ☐ Il n'est pas gentil.

2. ☐ Il est astucieux.

e. Il est têtu.

1. ☐ Il ne change pas facilement d'avis.

2. ☐ Il change trop souvent d'avis.

f. Il est détendu.

1. ☐ Il est calme.

2. ☐ Il est nerveux.

g. Il est tendu.

1. ☐ Il est nerveux.

2. ☐ Il est têtu.

h. Il est fin.

1. ☐ Il est subtil.

2. ☐ Il est lourd.

64 Reliez les phrases qui ont le même sens.

a. Il est de bonne humeur ce matin.
b. Il a le sens de l'humour.
c. Il peut se débrouiller tout seul.
d. Il reste tranquille.
e. Il refuse de changer d'avis.
f. Il n'ose pas s'exprimer.
g. Il est collant.
h. Il a l'esprit vif et pratique.

1. Il est timide.
2. Il n'a pas besoin d'aide.
3. Il aime les blagues.
4. Il est gai aujourd'hui.
5. Il impose sa présence.
6. Il est malin.
7. Il est sage.
8. Il est têtu.

65 Complétez les dialogues avec : *discrets, sage, têtu, humour, humeur, nerveux, serviables, distrait, malin.*

Exemple : – Mon fils a été calme ?
– Oui, il a été très ***sage***.

a. – Vos voisins font du bruit ?
– Non, ils sont très ....

b. – Tu as signé la pétition ?
– Non, je te l'ai déjà dit, je ne veux pas.
– Tu es vraiment ....

c. – Tu as l'air gai, ce matin.
– Oui, je suis de très bonne ....

d. – Tu crois qu'il va bien prendre la blague ?
 – Oui, il a vraiment le sens de l'................................

e. – Tu crois qu'on peut leur demander de nous aider ?
 – Oui, ce sont des gens très ....

f. – Il est capable de faire ça ?
 – Oui, c'est un garçon très ....

g. – J'ai encore oublié mon sac.
 – Tu es un peu ...., non ?

h. – Depuis que tu as arrêté de fumer, tu ne restes jamais tranquille.
 – Oui, je sais, je suis ....

66 Rayez l'élément qui n'a pas le même sens.

Exemple : nerveux – agité – ~~brutal~~

a. malin – distrait – étourdi
b. débrouillard – malin – discret
c. gentil – sage – gai
d. feignant – bien élevé – paresseux
e. timide – réservé – collant
f. discipliné – obéissant – attentif
g. pénible – risqué – gênant
h. curieux – extraverti – communicatif

67 Cochez la phrase qui exprime la même idée.

Exemple : Il est cultivé.
1. ☐ Il s'occupe d'agriculture.
2. ☒ Il a une bonne culture générale.

a. Il est galant.
1. ☐ Il est très poli avec les dames.
2. ☐ Il est gourmand.

b. Il est habile.
1. ☐ Il s'habille bien.
2. ☐ Il se débrouille bien.

c. Il a du tact.
1. ☐ Il a le sens de la diplomatie.
2. ☐ Il aime le contact avec les autres.

d. Il est consciencieux.
1. ☐ Il a l'esprit vif.
2. ☐ Il est très sérieux dans son travail.

e. Il est docile.
1. ☐ Il est obéissant.
2. ☐ Il est doux.

f. Il est de mauvaise humeur.
   1. ☐ Il fait de mauvaises blagues.
   2. ☐ Il est mécontent.

g. Il est dévoué.
   1. ☐ Il est entièrement disponible.
   2. ☐ Il veut réussir.

h. Il est passionné.
   1. ☐ Il est très intéressant.
   2. ☐ Il agit avec passion.

68 Reliez les phrases qui ont le même sens.

a. Il est habile.
b. Il a le sens de l'humour.
c. Il a du tact.
d. Il est irritable.
e. Il montre de l'affection.
f. Il est émotif. → 7
g. Il est arrogant.
h. Il est chaleureux.

1. Il est tendre.
2. Il se met facilement en colère.
3. Il est adroit.
4. Il est diplomate.
5. Il est méprisant.
6. Il est amical.
7. Il est vite submergé par ses émotions.
8. Il aime les blagues.

69 Complétez avec l'adjectif correspondant.

Exemple : Il est d'une grande nervosité. C'est quelqu'un de ***nerveux***.

a. J'admire sa débrouillardise. Il est très ....
b. C'est un enfant d'une grande sagesse. Il est très ....
c. Il a beaucoup d'ambition. C'est un homme ....
d. J'aimerais avoir son habileté. C'est vrai, il est très ....
e. Elle est d'une timidité excessive. Elle est vraiment ....
f. Attention à votre distraction. Vous êtes beaucoup trop .... !
g. La galanterie est une qualité qui se perd. On est de moins en moins ....
h. J'admire son dévouement. Oui, c'est quelqu'un de très ....

70 Reliez les phrases de sens contraire.

a. Il est habile.
b. Il est arrogant.
c. Il est galant.
d. Il est chaleureux. → 8
e. Il est crispé.
f. Il se maîtrise.
g. Il est introverti.
h. Il est tendre.

1. Il est émotif.
2. Il est maladroit.
3. Il est modeste.
4. Il est mal élevé.
5. Il est brusque.
6. Il est détendu.
7. Il est extraverti.
8. Il est froid.

71 On utilise des comparaisons dans de nombreuses expressions pour décrire une personne. Rayez ce qui ne convient pas.

Exemple : Il est doux comme ~~le saindoux~~/*un agneau*.

a. Il est sage comme *une image/un page*.
b. Il est bête comme *une tête/ses pieds*.
c. Il est têtu comme *une mule/un mur*.
d. Il est moche comme *un clou/un pou*.
e. Il est rusé comme *un singe/un chat*.
f. Elle est bavarde comme *une pie/une scie*.
g. Il est tendu comme *un arc/une arche*.
h. Il est sérieux comme *un crabe/un pape*.

72 Reliez chaque phrase à l'expression imagée de même sens.

a. Il est drôle. → 4
b. Il reste calme.
c. Il est arrogant.
d. Il est de mauvaise humeur.
e. Il est paresseux.
f. Il est très nerveux.
g. Il n'est pas souriant.
h. Il manque de tact.

1. C'est une boule de nerfs.
2. Il prend les gens de haut.
3. Il n'est pas à prendre avec des pincettes.
4. C'est un boute-en-train.
5. Il est aimable comme une porte de prison.
6. Il garde son sang-froid.
7. Il met les pieds dans le plat.
8. Il a un poil dans la main.

73 *Une femme décrit son mari.* Complétez ce portrait du mari idéal avec : *chaleureux, tendre, galant, généreux, calme, boute-en-train, débrouillard, habile, ambitieux.*

Exemple : Il me fait plein de cadeaux, il est ***généreux***.

a. Quand il y a une fête, il fait rire tout le monde, c'est un ....
b. Il ouvre toujours les portes pour moi, il est ....
c. Il bricole très bien, il est .... de ses mains.
d. Il se montre très aimable avec nos amis, il est ....
e. Il ne s'énerve pas facilement, il est ....
f. Il veut réussir dans la vie, il est ....
g. Il sait comment obtenir ce qu'il veut, il est ....
h. Il sait me montrer qu'il m'aime, il est .... avec moi.

Bilans

74 **Des amis discutent. Complétez leur conversation avec :** *amande, rasé, rides, poilu, beaux, mince, qualités, tatouage, bouclés, séduisant, trompette, brioche.*

Carole *D'après des études en entreprise, les gens qui sont .... **(1)** gagnent de 5 à 10 % de plus que leurs collègues moins avantagés par la nature.*

Stanislas *Je me demande quels sont les critères physiques sélectionnés. Est-ce qu'il vaut mieux être .... **(2)** ou gros ? Avoir de longs cheveux .... **(3)** ou être .... **(4)** ?*

Carole *Avoir les yeux bleus, en .... **(5)** ?*

Stanislas *C'est vrai que pour un patron, on imagine plutôt quelqu'un de .... **(6)**, à l'aise dans son corps, bronzé, en pleine forme, plutôt qu'un type mal fait, avec de la .... **(7)** et plein de .... **(8)**.*

Carole *Et avec un petit nez en .... **(9)** plutôt qu'un gros nez .... **(10)**. Moi, je trouve ça stupide de s'arrêter au physique. C'est beaucoup plus important de savoir si c'est quelqu'un qui a des .... **(11)** humaines.*

Stanislas *Qu'est-ce qui te touche en premier chez un homme, l'aspect physique ou le caractère ?*

Carole *C'est le physique, parce que le caractère, il faut un minimum de temps pour le découvrir.*

Stanislas *Quel est le détail qui t'a fait craquer quand tu as rencontré ton copain ?*

Carole *Son .... **(12)** sur l'épaule...*

75 **Dans son cabinet, le docteur Schlutz, spécialiste des troubles du langage à Lausanne, s'entretient avec un patient qui utilise parfois un mot pour un autre. Complétez avec le mot correct.**

Le patient *Ma mère me dit que je ne travaille pas assez dur, elle dit que je suis* vaseux.

Le docteur *Vous voulez dire p.................................* ***(1).***

Le patient *Oui, docteur, c'est ce que j'ai dit. Et pourtant, quand je fais quelque chose, je m'applique, j'essaye toujours de faire au mieux, je suis très* contentieux.

Le docteur *C.................................* ***(2)*** *!*

Le patient *Elle me dit aussi que je lui demande trop de m'aider ; d'après elle, je n'arrive pas à me* débloquer *tout seul.*

Le docteur *À vous d.................................* ***(3).*** *Vous avez essayé de vous trouver une petite amie ?*

Le patient *Oui, j'ai essayé, j'ai trouvé une jeune fille, mais elle m'a dit que je n'étais pas assez amusant, pas* picolo.

Le docteur *R.................................* ***(4).***

Le patient *Elle a même dit que j'étais triste, inintéressant,* enneigé.

Le docteur *Elle a dû dire e.................................* ***(5).***

Le patient *C'est ça, docteur. Pourtant, moi j'étais content d'être avec elle, j'étais de bonne* hauteur.

Le docteur *De bonne h.................................* ***(6).***

Le patient *C'est vrai que j'oublie beaucoup de choses, je suis assez* discret.

Le docteur *D.................................* ***(7).***

Le patient *Et je ne suis pas très généreux, on me dit que je suis* marin.

Le docteur *Vous voulez dire r.................................* ***(8).***

Le patient *C'est grave, docteur ?*

Le docteur *On va voir ça...*

III. VOIR SES AMIS

76 ***Il y a de nombreuses manières d'inviter quelqu'un.*** **Complétez ces exemples avec :** *dirait, accompagnes, heureux, prévu, verre, conviés, fêter, dînait, bouffe*[1]**.**

Exemple : Nous serions ***heureux*** de vous avoir à dîner la semaine prochaine.

a. Tu fais quoi demain ? Si on .... ensemble ?
b. On se téléphone, on se fait une .... !
c. Ça te .... d'aller au cinéma ?
d. Tu as quelque chose de .... ce soir ? On pourrait sortir.
e. Je vais chez des copains. Tu m'.. ?
f. On se boit un .... après le cours ?
g. Tu as réussi ton examen ? On va .... ça !
h. Vous êtes tous .... à un vin d'honneur après la cérémonie.

77 **Pour chaque réponse à une invitation, notez (A) si on accepte ou (R) si on refuse.**

Exemple : Oui, avec plaisir. ***(A)***

a. Malheureusement, je suis déjà pris. ( )
b. Ça tombe mal, je ne suis pas libre ce jour-là. ( )
c. Bien sûr, c'est une excellente idée ! ( )
d. Volontiers ! ( )
e. Ce serait avec plaisir, mais j'ai déjà quelque chose de prévu. ( )
f. Merci, mais ça ne me dit rien. ( )
g. C'est très gentil d'avoir pensé à moi. ( )
h. Plutôt une autre fois, en ce moment, j'ai du monde à la maison. ( )

78 ***Qu'aimez-vous faire quand vous voyez vos amis ?*** **Complétez avec :** *boîte, verre, spectacle, apéritif, soirée, barbecue, bouffe*[1]*, fête, resto***.**

Exemple : On va boire un ***verre*** au café.

a. On boit l'.. dans le jardin.
b. On se fait une .... à la maison, chacun apporte quelque chose.
c. On se fait un petit .... entre amis.
d. On organise une .... avec de la musique.
e. On sort en .... jusqu'à 4 heures du matin.
f. On va voir un .... et après on va discuter dans un café.
g. On joue dans le jardin avec les enfants et ensuite on fait un ....
h. On fait une .... samedi avec les copains et les copines du collège.

---

1. Attention, le mot *bouffe* est un mot familier.

79 Remettez les phrases dans l'ordre.

Exemple : boire/Ça/un/après/te/de/les/?/dirait/cours/pot

→ ***Ça te dirait de boire un pot après les cours ?***

a. pour/de/invitons/fêter/notre/Nous/anniversaire/mariage/./vous

→ ....

b. buffet/Nous/avons/traiteur/./un/un/chez/commandé

→ ....

c. M./un/Dupuy/la/à/faisons/de/./le/Nous/pour/retraite/départ/pot

→ ....

d. restaurant/la/au/notre/de/famille/./nous/le/invité/baptême/,/Pour/avons/fils

→ ....

e. samedi/4/heures/en/jusqu'à/Le/matin/./soir/du/,/boîte/va/on

→ ....

f. du/des/on/,/faire/copines/samedi/après-midi/avec/Le/./shopping/va

→ ....

g. revoir/./de/Ça/fait/m'a/plaisir/te

→ ....

h. On/de/nos/resto/se/projets/un/fait/discute/./on/et

→ ....

80 Reliez chaque mot familier au terme qui correspond.

a. un ciné	1. un homme
b. une boîte	2. un cinéma
c. une bouffe	3. un verre
d. un resto → 7	4. un repas
e. un pot	5. un copain
f. une nana	6. une fille
g. un mec	7. un restaurant
h. un pote	8. une discothèque

81 ***Souvenir d'une soirée en discothèque.*** **Complétez avec :** *sono, boîte, matinée, pro, videur, vestiaire, consommation, aube, ambiance*.

Exemple : Je suis allé en ***boîte*** avec mes copains.

a. Le .... à la porte nous a laissés entrer.

b. On a acheté un billet d'entrée et on a laissé nos manteaux au ....

c. Avec le prix de l'entrée, on avait droit à une ....

d. Le son était très fort mais il y avait une .... de très bonne qualité.

e. Le DJ était un vrai ....

f. Tout le monde s'amusait bien. Il y avait une très bonne ....

g. On a dansé comme des fous jusqu'à l'...

h. Le lendemain, on a fait la grasse ....

82 Complétez avec les mots correspondant aux abréviations familières.

Exemple : la déco → la ***décoration***

a. une conso → une ....

b. un pro → un ....

c. un resto → un ....

d. un apéro → un ....

e. un cuistot → un ....

f. une gastro → une ....

g. la sono → la ....

h. une expo → une ....

83 Rayez ce qui ne convient pas.

Exemple : Hier soir, j'ai *rencontré/~~raconté~~* quelqu'un par hasard.

a. Je sortais du bureau et je suis *tombé/monté* sur un ami qui travaille dans une autre société.

b. Nous avons décidé d'aller *faire/prendre* un verre.

c. Nous avons *patiné/bavardé* pendant presque une heure.

d. Il m'a demandé des *comptes/nouvelles* de ma famille.

e. On était contents de se *connaître/revoir*.

f. On a décidé de rester *ensemble/en contact*.

g. Il m'a laissé ses nouvelles *coordonnées/références*.

h. Il m'a proposé de venir dîner chez lui la semaine suivante, ce serait l'*occurrence/occasion* de me présenter sa femme.

84 *Deux amis se téléphonent.* Complétez leur conversation avec : *retrouve, envie, connaissance, allait, ennuie, dit, voit, passe, empêchement.*

Exemple : **Nicolas** On se ***voit*** demain ?
Vincent Oui, pourquoi pas.

a. **Nicolas** Qu'est-ce que tu as .... de faire ?

b. **Vincent** Si on .... au cinéma ?

c. **Nicolas** Oui, qu'est-ce qui .... en ce moment ?

d. **Vincent** Il y a un nouveau film de Téchiné à l'Odéon. Ça te .... ?

e. **Nicolas** Oui, très bien. On se .... où ?
Vincent Devant le cinéma, à 20 heures.

f. **Nicolas** Entendu. Si jamais tu as un .... , tu me rappelles.
Vincent Oui, ne t'inquiète pas.

g. **Nicolas** Je viendrai peut-être avec une copine, ça ne t'.......................... pas ?
Vincent Non, au contraire, elle est sympa ?

h. **Nicolas** Oui, elle est amusante. C'est une jeune fille au pair russe.
Vincent On pourrait aller boire un verre après le ciné pour faire ....

85 **Reliez chaque mot familier à sa signification.**

a. bavarder
b. s'engueuler
c. poireauter
d. poser un lapin
e. grignoter
f. arroser
g. une balade
h. soûl

1. attendre
2. ne pas aller à un rendez-vous
3. discuter
4. une promenade
5. fêter
6. ivre
7. manger en petites quantités
8. se disputer

86 ***Deux amis ont rendez-vous devant un cinéma.*** **Complétez leur conversation avec :** *lapin, attends, retrouver, grignoter, prévenir, retard, poireauter, veux, empêchement.*

Exemple : **Lucas** Je ne comprends pas, ça fait une demi-heure que je t'***attends*** !

a. **Lucas** On devait bien se .... ici à 8 heures !
b. **Mathieu** Oui, je suis vraiment désolé, j'ai eu un ....
c. **Lucas** Tu aurais pu me .... , quand même !
Mathieu Mon portable n'avait plus de batterie.
d. **Lucas** J'ai horreur de .... comme ça dans la rue.
e. **Lucas** J'ai cru un moment que tu m'avais posé un ....
Mathieu Non, je ne te ferais jamais ça !
f. **Lucas** Bon, de toute façon, on a raté la séance. On va .... quelque chose, non ?
Mathieu Oui, bien sûr.
g. **Mathieu** Tu m'en .... ?
Lucas Oui ! J'étais impatient de voir ce film !
h. **Lucas** La prochaine fois, j'irai au cinéma avec Cricri.
Mathieu Non, pas Cricri ! Elle est toujours en .... !

87 **Complétez avec :** *proches, fait, secrets, surprises, confiance, improviste, confie, hébergé, fêté.*

Exemple : Je me suis ***fait*** de nouveaux amis pendant les vacances.

a. Mes amis viennent parfois chez moi à l' ....
b. J'ai souvent .... un ami.
c. J'aime qu'on se .... à moi.
d. Mes amis me font quelquefois des ....
e. Je connais la date d'anniversaire de mes plus .... amis.
f. J'ai .... mon dernier anniversaire avec eux.
g. Je partage mes .... avec mes meilleurs amis.
h. Je leur fais entièrement ....

88 Rayez ce qui ne convient pas.

Exemple : C'est mon copain, c'est mon *pote/~~despote~~*.

a. Il ne peut pas venir à la soirée, il a un *empêchement/empiècement*.
b. Si tu as un problème, *prévois-nous/préviens-nous*.
c. Nous allons *visiter/rendre visite* à des amis en Bretagne.
d. Mon anniversaire *tombe/incombe* un samedi.
e. Ils n'ont pas prévenu de leur arrivée, ils sont venus à l'*improvisation/improviste*.
f. Il n'est pas venu au rendez-vous, il m'a *posé un lapin/fait coucou*.
g. C'est une très bonne amie, je peux lui raconter des choses intimes, me *compter/confier* à elle.
h. J'ai réussi mon examen. J'invite mes amis pour *arroser/inonder* ça.

89 *Pourquoi deux personnes deviennent-elles amies ?* Complétez avec : *atomes, proches, ensemble, complicité, communs, façon, goûts, complémentaires, affinités.*

Exemple : Nous nous sentons très ***proches***.

a. Nous avons beaucoup de points ....
b. Nous sommes très ....
c. Nous avons les mêmes ....
d. Nous avons des ....
e. Nous avons des .... crochus.
f. Nous voyons la vie de la même ....
g. Nous apprécions d'être ....
h. Nous avons une grande ....

90 *Les relations amicales.* Cochez pour indiquer s'ils s'entendent bien ou pas.

Exemple : Ils sont très potes.

1. ☒ Ils s'entendent bien.
2. ☐ Ils ne s'entendent pas bien.

a. Ils se querellent souvent.
1. ☐ Ils s'entendent bien.
2. ☐ Ils ne s'entendent pas bien.

b. Ils se sont réconciliés.
1. ☐ Ils s'entendent bien.
2. ☐ Ils ne s'entendent pas bien.

c. Ils sont en froid.
1. ☐ Ils s'entendent bien.
2. ☐ Ils ne s'entendent pas bien.

d. Ils ont une grande connivence.
1. ☐ Ils s'entendent bien.
2. ☐ Ils ne s'entendent pas bien.

e. Ils sont comme les deux doigts de la main.
   1. ☐ Ils s'entendent bien.
   2. ☐ Ils ne s'entendent pas bien.
f. Ils sont toujours disponibles l'un pour l'autre.
   1. ☐ Ils s'entendent bien.
   2. ☐ Ils ne s'entendent pas bien.
g. Ils sont inséparables.
   1. ☐ Ils s'entendent bien.
   2. ☐ Ils ne s'entendent pas bien.
h. Ils sont brouillés.
   1. ☐ Ils s'entendent bien.
   2. ☐ Ils ne s'entendent pas bien.

91 ***Francis parle à sa femme de leur ami Daniel.*** **Complétez avec :** *mode, aise, tutoie, gagne, glace, ambiance, donner, blague, soûl.*

Exemple : Tu as vu comme il est vite à l'***aise*** avec tout le monde.

a. Il rompt tout de suite la ....
b. Il met une bonne ....
c. Il fait rire en racontant une bonne ....
d. Au bout d'un moment, il .... tout le monde.
e. Il aime boire mais il n'est jamais ....
f. Il est au courant de tout, il peut parler du dernier film à la ....
g. Si on fait un jeu, c'est presque toujours lui qui ....
h. Il est toujours prêt à .... un coup de main.

92 ***Les occasions de faire la fête entre amis sont nombreuses.*** **Reliez les fêtes et les événements qui correspondent.**

a. un repas de noce	1. Noël ou Jour de l'an
b. une soirée	2. un collègue quitte l'entreprise
c. une pendaison de crémaillère	3. l'inauguration d'une exposition
d. un réveillon → 1	4. un mariage
e. un vernissage	5. Mardi gras
f. un pot d'adieu	6. un emménagement
g. un feu d'artifice	7. un anniversaire
h. un carnaval	8. le 14 Juillet

93 ***Vous écrivez un petit mot à un ami.*** **Complétez avec :** *bravo, joie, cœur, remercier, vœux, bonheur, souhaite, heureux, félicitations.*

Exemple : Nous avons appris avec ***joie*** ton succès à l'examen.

a. Tous mes meilleurs .... pour la nouvelle année.
b. Je te .... un joyeux anniversaire.
c. Je vous adresse tous mes vœux de .... à tous les deux.
d. Toutes nos .... pour tes excellents résultats.

e. Nous te disons .... !

f. Nous avons passé un très bon moment hier tous ensemble et je voulais juste t'en .... à nouveau.

g. Je suis .... pour toi que tu aies obtenu ce poste.

h. Nous sommes de tout .... avec toi durant ces dures épreuves.

94 ***Pourquoi aimez-vous votre ami(e) ?*** **Remettez les phrases dans l'ordre pour retrouver quelques réponses possibles.**

Exemple : très/Nous/toujours/bien/./nous/entendons

→ ***Nous nous entendons toujours très bien.***

a. un/coup/m'/Il/main/a/déménager/./donné/de/pour

→ ....

b. peux/téléphoner/heure/quelle/./Je/n'importe/lui/à

→ ....

c. ai/naître/enfants/ses/J'/vu/tous/.

→ ....

d. conseil/d'un/bon/voir/le/./quand/vais/j'ai/besoin/Je

→ ....

e. peux/confier/tous/secrets/./Je/mes/lui

→ ....

f. en/J'/lui/ai/confiance/./entièrement

→ ....

g. vie/même/./de/manière/la/avons/voir/Nous/la

→ ....

h. nous/nous/nous/parfois/mais/Nous/réconcilions/toujours/./disputons

→ ....

95 ***Vous demandez des conseils à un ami.*** **Complétez ses réponses avec :** *intérêt, place, toi, as, mieux, a, conseille, avis, peine.*

Exemple : Qu'est-ce que tu ferais à ma ***place*** ?

a. Si j'étais ...., je n'irais pas.

b. Tu ferais .... de ne pas y aller.

c. À mon ...., il faut annuler.

d. Tu n'as pas .... à faire comme ça.

e. Je te .... de te décommander.

f. Ça ne vaut pas la .... de te déplacer.

g. Tu n'.......................... qu'à dire que ça tombe en même temps qu'un repas de famille.

h. Il n'y .... qu'à leur dire que tu as un empêchement.

96 ***Voici des conseils d'amis.*** **Remettez les phrases dans l'ordre.**

Exemple : examen/./intérêt/préparer/mieux/ton/as/à/Tu

→ ***Tu as intérêt à mieux préparer ton examen.***

a. je/attendre/j'/étais/me/au/Si/./travail/,/sans/mettrais/toi

→ ....

b. Tu/laisser/sais/une/,/pas/à/chance/passer/./ne/c'est

→ ....

c. Je/voir/de/sais/./ne/c'est/te/dire/toi/à/,/quoi/pas

→ ....

d. à/bien/Tu/et/intérêt/as/contre/./le/pour/le/peser

→ ....

e. peine/la/d'/vaut/Ça/vraiment/./essayer

→ ....

f. Tu/pour/lui/une/qu'à/expliquer/./n'as/t'/envoyer/lettre

→ ....

g. je/voyage/ta/plus/À/tard/./ce/remettrais/,/à/place

→ ....

h. passer/plaisir/si/un/la/peut-être/ça/ferait/à/lui/Et/./l'invitais/côte/,/tu/sur/week-end

→ ....

97 ***Des amis discutent de leurs projets de sortie.*** **Complétez leur conversation avec :** *liste, apporter, spectacle, laisser, recevoir, chèque, feu, soirée, salle.*

Exemple : – Je suis invité à dîner chez des amis. Tu crois que je dois ***apporter*** quelque chose ?

– Oui, un bouquet de fleurs ou une bouteille de vin, ça fait toujours plaisir.

a. – Je dois .... plusieurs personnes mais je ne sais pas faire la cuisine !

– Tu n'as qu'à t'adresser à un traiteur qui préparera tout pour toi, tu n'auras plus qu'à servir les plats en faisant croire que tu as tout fait toi-même !

b. – Je suis invité à une .... costumée, mais je n'ai rien à la maison pour me déguiser !

– Tu pourrais louer un costume dans une boutique spécialisée.

c. – J'ai un goûter chez moi avec des enfants, j'aimerais bien prévoir quelque chose d'un peu original.

– Si tu faisais venir quelqu'un pour qu'il te fasse un .... de marionnettes.

d. – Je suis invitée au théâtre avec mon mari. Je ne peux pas .... les enfants tout seuls !

– Tu as pensé à prendre une baby-sitter.

e. – J'aimerais bien organiser une grande fête, mais chez moi, c'est trop petit !

– À ta place, je louerais une ....

f. – Je suis invitée à un mariage. Je ne sais vraiment pas quoi faire comme cadeau.
   – Ils ont probablement déposé une .... de mariage dans un magasin. Tu n'auras plus qu'à choisir parmi leurs propositions.

g. – J'aimerais faire un petit cadeau au fils d'un ami, mais ce n'est pas facile, il a déjà plein de choses...
   – Dans ce cas-là, tu pourrais lui offrir un ....-cadeau.

h. – Je cherche une idée pour le banquet de communion de mon fils, quelque chose d'impressionnant.
   – Je ne vois qu'une chose : un .... d'artifice.

98 Reliez chaque expression courante à son explication.

a. Il a fait une gaffe.
b. Il boude.
c. Il y a eu un quiproquo.
d. Ils sont sur la même longueur d'onde.
e. Ils se sont perdus de vue.
f. Ce sont des amis d'enfance. → 8
g. Il lui a donné un coup de main.
h. Ils sont brouillés.

1. Ils ne sont plus en contact.
2. Il l'a aidé.
3. Il a dit quelque chose qu'il ne fallait pas dire.
4. Il est de mauvaise humeur et reste seul.
5. Ils ne se parlent plus.
6. Ils se sont mal compris.
7. Ils s'entendent très bien.
8. Ils se connaissent depuis qu'ils sont petits.

99 *Jacqueline repense à une soirée passée entre amis.* Complétez avec : *atomes, passé, bavardé, communs, gaffe, veux, pote, cour, boudé.*

Exemple : J'ai **passé** une très bonne soirée.

a. Je lui ai demandé des nouvelles de sa femme. Ils ne sont plus ensemble depuis un an. Je n'aurais jamais dû lui dire ça. J'ai vraiment fait une ....
b. Je ne l'ai pas fait exprès mais je suis en colère contre moi-même, je m'en ....
c. Mais il n'a pas refusé de poursuivre notre conversation, il n'a pas ....
d. Nous avons .... un bon moment.
e. Je crois que nous avons beaucoup d'... crochus.
f. D'ailleurs, c'est assez normal puisque nous avons plusieurs amis ....
g. Il m'a présenté son meilleur « .... », comme il dit.
h. Je pense qu'il a commencé à me faire la ....

100 Rayez l'élément qui n'a pas le même sens.

Exemple : un copain – un pote – ~~un ennemi~~ – un camarade

a. une invitation – un faire-part – un bristol – un cuistot
b. une conversation – une discussion – une dispute – un débat
c. une blague – une gaffe – une farce – une plaisanterie
d. rouge – soûl – ivre – éméché
e. un quiproquo – une confidence – une méprise – un malentendu
f. faire la cour – draguer – faire des avances – blaguer
g. une dispute – un bavardage – une brouille – une querelle
h. dépanner – rendre un service – gêner – donner un coup de main

101 *Deux amis qui ne s'étaient pas vus depuis longtemps se rencontrent par hasard.*

Complétez avec : *changé, surprise, revoir, devenu, perdre, vus, heureux, connu, manque.*

Exemple : Gilbert ! Ça, c'est une ***surprise*** !

a. C'est incroyable de se .... après tant d'années !
b. Tu n'as vraiment pas .... !
c. Ça fait longtemps qu'on ne s'est pas ....
d. Je suis .... de te revoir !
e. Qu'est-ce que tu es .... depuis tout ce temps ?
f. On a .... de bons moments ensemble.
g. C'est une période qui me ...., maintenant.
h. On ne va plus se .... de vue, à présent.

102 Complétez les mots.

Exemple : Je n'ai pas d'endroit où dormir, peux-tu m'h***éberger*** pour une nuit ou deux ?

a. Ils viennent d'emménager. Ils vont nous inviter pour p .... la crémaillère.
b. Je n'ai pas vu mes amis depuis plusieurs mois, ils me m.......................... beaucoup.
c. Je vous s.. un joyeux anniversaire.
d. Nous sommes toujours h .... de vous voir.
e. Il a trop bu, il est complètement i ....
f. Nous avons p .... une très bonne soirée en votre compagnie.
g. Ils sont arrivés sans prévenir, à l'i...
h. Chaque fois qu'il me voit, il me fait des avances, il me d ....

Bilans

103 **Des amis discutent. Complétez leur conversation avec :** *dit, soirée, fêter, rentrer, souhaite, bouffe, envie, retrouver, draguer, sortir, boîte, pot.*

José *Qu'est-ce qu'on fait ce soir, tu préfères .... **(1)** ou rester à la maison ?*

Julie *On pourrait aller boire un .... **(2)** chez Francis.*

José *Il n'est pas là, ce soir, il est chez des amis pour .... **(3)** leur anniversaire de mariage.*

Julie *Si on allait au ciné ?*

José *Oui, et on n'a qu'à appeler Michel, il pourra nous .... **(4)** au cinéma.*

Plus tard dans la soirée.

Michel *Le film était vraiment bien. Vous avez .... **(5)** de faire quoi maintenant ?*

José *Moi, je vais .... **(6)** chez moi, je dois travailler demain matin.*

Michel *Et toi, Julie, ça te .... **(7)** d'aller danser ?*

Julie *Oui, tu connais une bonne .... **(8)** ?*

Michel *Il paraît qu'il y en a une nouvelle près d'ici.*

Julie *D'accord, c'est un bon plan, alors on y va tous les deux, mais je te préviens, interdiction de me .... **(9)** !*

José *Bon, je vous laisse maintenant. Je vous .... **(10)** une bonne .... **(11)**, soyez sages !*

Michel *Passe une bonne nuit. On s'appelle et on se fait une .... **(12)** ?*

José *D'accord. À bientôt !*

104 **Dans son cabinet, le docteur Schlutz, spécialiste des troubles du langage à Lausanne, s'entretient avec un patient qui utilise parfois un mot pour un autre. Complétez avec le mot correct.**

Le patient *Hier matin, j'ai rencontré un ami par hasard. Je suis* descendu *sur lui dans le métro.*

Le docteur *Vous voulez dire que vous êtes t.......................... **(1)** sur lui.*

Le patient *Oui, docteur, c'est ce que j'ai dit. On est allé boire un* seau *ensemble.*

Le docteur *Un p.......................... **(2)** !*

Le patient *Dans le café, à côté de nous, il y avait un couple. L'homme avait trop bu, il était complément* clou.

Le docteur *Complètement s.......................... **(3)**.*

Le patient *Ils n'étaient pas d'accord, ils ont commencé à parler de plus en plus fort. Ils se sont* disloqués.

Le docteur *Ils se sont d.......................... **(4)**.*

Le patient *Alors, on a décidé de leur faire une* plaque.

Le docteur *Une b.......................... **(5)** ?*

Le patient *Oui, docteur. On s'est adressés à la femme et on lui a fait croire qu'on la connaissait. On a raconté qu'on s'était vus en boîte. On a même commencé à lui faire la cour, à la* truquer.

Le docteur *La d.......................... **(6)** !*

Le patient *Absolument. En fait, elle a tout de suite compris que c'était pour rire. Le mari, lui, était furieux, mais au moins il a arrêté de crier après sa femme. En fait, on a commencé à parler avec la femme, on a* placardé.

Le docteur *B.......................... **(7)**.*

Le patient *Oui, on était vraiment sur la même longueur d'onde, on* s'écoutait *très bien.*

Le docteur *Vous vous e.......................... **(8)** bien.*

Le patient *Finalement, le mari était tellement en colère qu'on lui a dit la vérité. Il a éclaté de rire et on est tous devenus de vrais amis. En fait, j'ai inventé toute cette histoire. C'est grave, docteur ?*

Le docteur *On va voir ça...*

IV. DÉCRIRE UN OBJET

105 **Reliez chaque objet à la forme qui correspond.**

a. une aiguille	1. triangulaire
b. un ballon de football	2. rectangulaire
c. une pyramide	3. pointu
d. une enveloppe	4. courbe
e. un anneau	5. rond
f. un arc	6. circulaire
g. un tuyau	7. carré
h. une case de jeu d'échecs	8. cylindrique

106 **Rayez l'objet qui ne convient pas.**

Exemple : C'est carré : un carreau – une vitre – ~~un disque~~

a. C'est rond : une boule de billard – un billet de banque – une perle
b. C'est plat : un plateau – un timbre – un tuyau
c. C'est cylindrique : un trou – un rouleau – une bougie
d. C'est rectangulaire : une étagère – une roue – un billet
e. C'est ovale : un ballon de rugby – un CD – une amande
f. C'est pointu : un stylo – une roulette – une flèche
g. C'est creux : un tube – un tuyau – un CD
h. C'est circulaire : une rondelle – une flèche – une roue

107 **Reliez l'objet et la matière.**

a. une tasse	1. en papier
b. un vase	2. en carton
c. un mouchoir	3. en porcelaine
d. une assiette	4. en inox
e. un gobelet	5. en caoutchouc
f. une fourchette	6. en marbre
g. un élastique	7. en plastique
h. une table	8. en cristal

108 **Rayez la matière qui ne convient pas.**

Exemple : C'est souple : le caoutchouc – ~~le marbre~~ – le plastique

a. C'est un métal : l'acier – le plâtre – le cuivre
b. C'est un métal précieux : l'or – l'inox – l'argent
c. C'est une matière transparente : le verre – le cristal – le bronze
d. C'est de la pierre : le marbre – le calcaire – le bois
e. C'est une pierre précieuse : le platine – le diamant – le rubis
f. C'est de la terre : l'argile – la faïence – le plomb
g. C'est une matière d'origine minérale : le cuir – la porcelaine – le grès
h. C'est une matière d'origine animale : l'ivoire – l'argile – la laine

109 ***Le jeu de l'objet. Il s'agit d'un sablier.*** **Répondez aux questions par oui (O) ou par non (N).**

Exemple : On le porte habituellement sur soi ? ***(N)***

a. Il est en verre ? ( )
b. Il se branche ? ( )
c. Il contient quelque chose ? ( )
d. Il contient quelque chose qui se mange ? ( )
e. Il est en une seule partie ? ( )
f. Chaque partie est carrée ? ( )
g. Chaque partie est triangulaire ? ( )
h. Il sert à mesurer le temps ? ( )

110 **Reliez les contraires.**

a. lisse →	1. solide
b. rigide	2. rugueux
c. fragile	3. plein
d. vide	4. lourd
e. portable	5. étroit
f. léger	6. fin
g. large	7. fixe
h. épais	8. souple

111 **Complétez avec :** *fragile, plein, épaisse, jetable, potable, solide, vide, lourd, étroites.*

Exemple : Je ne peux plus rien mettre dans le sac, il est ***plein***.

a. Cette couverture est bien chaude car elle est ....
b. Il n'y a plus rien dans la bouteille, elle est ....
c. Dans cette ville, il y a des avenues très larges, mais nous préférons nous promener dans les petites rues ....
d. Faites attention, c'est du verre, c'est très ....
e. Qu'est-ce que tu as mis dans ce sac, il est vraiment .... !
f. Ne buvez pas cette eau, elle n'est pas ....
g. Ce n'est pas un appareil photo qui se garde, c'est un modèle ....
h. Tu peux mettre ça sur la table, elle est en marbre, elle est très ....

112 Reliez les éléments.

a. un téléphone	1. pliable
b. un mouchoir	2. gonflable
c. un parapluie	3. portable
d. un matelas	4. encastrable
e. une pièce	5. introuvable
f. un article	6. réglable
g. un four	7. jetable
h. un siège	8. aménageable

113 Complétez avec le mot qui convient.

Exemple : C'est quelque chose que l'on peut recycler, c'est ***recyclable***.

a. C'est quelque chose que l'eau ne traverse pas, c'est ....
b. C'est du verre qui ne se casse pas, c'est ....
c. C'est quelque chose qui ne sert à rien, c'est ....
d. C'est quelque chose qui ne s'abîme pas, c'est ....
e. C'est quelque chose dont on se débarrasse après usage, c'est ....
f. C'est quelque chose que l'on peut facilement plier, c'est ....
g. C'est quelque chose que l'on peut régler, c'est ....
h. C'est quelque chose en plastique souple que l'on peut remplir d'air, c'est ....

114 Reliez chaque description à l'adjectif qui correspond.

a. C'est un liquide sans odeur, il est	1. incolore.
b. C'est un produit sans couleur, il est	2. imbuvable.
c. La salle est protégée du bruit, elle est	3. ininflammable.
d. Cette eau a très mauvais goût, elle est	4. informe.
e. Ce gaz prend facilement feu, il est	5. inodore.
f. Ce matériau résiste au feu, il est	6. invisible.
g. Cet objet n'a aucune forme particulière, il est	7. inflammable.
h. C'est un rayon que l'on ne voit pas, il est	8. insonorisée.

115 Complétez les mots.

Exemple : Il a tout mesuré, c'est fait sur m***esure***.

a. La valise pèse combien ? Quel est son p.. ?
b. Le bateau fait combien de long ? Tu connais sa l.. ?
c. Le fleuve est plus large ici, c'est sa l.. maximum.
d. La tour fait combien de haut ? Tu connais sa h.. ?
e. Le canal est assez profond ici, je me demande quelle est sa p..............................
f. Les murs sont assez épais, ils font environ 40 cm d'é..
g. La pièce fait 15 m^2 de s..
h. Nous disposons d'un v.. de 3 m^3.

116 **Reliez les éléments.**

a. une bande
b. un fil
c. un appareil photo
d. une turbine ⟶ 4. hydraulique
e. une cabine
f. un agenda
g. un réseau
h. une bombe

1. électronique
2. numérique
3. magnétique
4. hydraulique
5. atomique
6. téléphonique
7. électrique
8. informatique

Complétez ces descriptions avec : *taille, diamètre, m³, compose, m², sur, mesure, date, pèse.*

Exemple : Le tuyau fait 10 cm de ***diamètre***.

a. Le lit .... 2 m de long.
b. Ce meuble .... plus de 100 kg.
c. Ce vase .... du XVIIIe siècle.
d. Le tapis fait 1,50 m .... 2 m.
e. La superficie est de 25 ....
f. Le volume est de 9 ....
g. C'est un vase de .... moyenne.
h. Cet objet se .... de trois éléments.

118 **Reliez les éléments.**

a. le couvercle
b. le pied
c. le capuchon ⟶ 3. du stylo
d. la poignée
e. l'anse
f. le manche
g. le bord
h. la manette

1. de la table
2. de la valise
3. du stylo
4. du pot de confiture
5. du couteau
6. de jeu
7. de la tasse
8. de l'assiette

119 *Au bureau des objets trouvés.* Reliez chaque objet à sa description.

a. Il est pliant, en tissu noir, avec une poignée en cuir marron.
b. Il est en cuir rouge, avec une fermeture dorée.
c. Il est gris avec les bouts arrondis.
d. Elle est en soie, bleue avec des rayures rouges. → 2
e. Elles sont rondes, en métal gris.
f. Elle est en bois, avec le bout pointu.
g. Elle est rouge, en plastique dur, avec des roulettes.
h. Il est en plastique noir avec un capuchon.

1. un sac à main
2. une cravate
3. un parapluie
4. des lunettes
5. une valise
6. une canne
7. un stylo
8. un étui à lunettes

120 Reliez les éléments pour retrouver le nom de ces objets.

a. un tire- → 2
b. un coupe-
c. un presse-
d. un abat-
e. un porte-
f. un essuie-
g. un ouvre-
h. un lave-

1. mains
2. bouchon
3. jour
4. citron
5. boîtes
6. linge
7. clés
8. ongles

121 *L'éclairage.* Cochez l'objet qui correspond à la description.

Exemple : C'est une bulle en verre avec un support métallique, qui produit de la lumière quand elle est branchée à l'électricité.
1. ☐ une lampe **2.** ☒ une ampoule

a. Elle a un pied en marbre et un abat-jour en tissu beige, elle est posée sur la table de chevet.
1. ☐ une lampe
2. ☐ une torche

b. Ce tube de verre contient un gaz éclairant.
1. ☐ un rayon
2. ☐ un néon

c. Elle est portable, elle fonctionne à piles, elle projette un faisceau.
1. ☐ une gazinière
2. ☐ une torche

d. C'est un cylindre métallique posé sur une base circulaire, on y pose une bougie.
1. ☐ un bougeoir
2. ☐ un réverbère

e. À partir d'une base cylindrique, plusieurs branches s'écartent et peuvent recevoir une bougie.
1. ☐ un lustre
2. ☐ un chandelier

f. Il comprend une armature métallique accrochée au plafond, on y installe plusieurs lampes, il est décoré de nombreuses perles de cristal.

1. ☐ un lustre

2. ☐ un chandelier

g. C'est une fine colonne montée sur un pied, avec au sommet une lampe et un abat-jour, qui sert à l'éclairage.

1. ☐ un phare

2. ☐ un lampadaire

h. C'est une colonne métallique, avec au sommet un système d'éclairage, que l'on trouve dans les rues.

1. ☐ un réverbère

2. ☐ un paratonnerre

122 Reliez le contenant et son contenu.

a. un cageot → 6	1. de colle
b. un paquet	2. de thé
c. un sachet	3. de champagne
d. un tube	4. de yaourt
e. une coupe	5. de cornichons
f. un bocal	6. de tomates
g. un pot	7. de café
h. une tasse	8. de cigarettes

123 Rayez ce qui ne convient pas.

Exemple : ~~*un bar*~~*/une barre* de métal

a. un manche *à balai/de chemise*

b. une manche *à balai/de chemise*

c. une poignée *de porte/de chemise*

d. un poignet *de porte/de chemise*

e. une colle *à papier/de chemise*

f. un col *à papier/de chemise*

g. un poêle *à bois/à frire*

h. une poêle *à bois/à frire*

124 Reliez chaque objet à sa fonction.

a. une pince	1. à bronzer
b. une planche	2. à épiler
c. des cartes	3. à laver
d. une machine → 3	4. à jouer
e. un fer	5. à raser
f. une lampe	6. à repasser
g. de la mousse	7. à coudre
h. du fil	8. à dessiner

125 Rayez ce qui ne convient pas.

Exemple : Je ne veux pas acheter cette tasse, elle est *cassée/~~calée~~*.

a. Ce livre n'est pas neuf, il est *d'occasion/artisanal*.
b. Il faut remplacer cette poignée qui a beaucoup servi, elle est *utile/usée.*
c. L'antiquaire vend *de vieux objets/des objets anciens.*
d. Le brocanteur vend *de vieux objets/des objets anciens*.
e. Cette poterie est faite à la main, c'est un produit *industriel/artisanal.*
f. On a écrit la marque, le prix et les informations utiles sur *l'étiquette/la colle*.
g. Cette boîte a pris l'humidité, le métal a des taches rouges, la boîte est *rouillée/mouillée*.
h. Nous pouvons vous envoyer ça, on va bien l'*étiqueter/emballer*.

126 Reliez l'objet à ce qu'il sert à contenir.

a. un étui	1. à essence
b. un verre	2. à provisions
c. un sac	3. à lettres
d. un coffret	4. à lunettes
e. un réservoir	5. à dessins
f. une boîte	6. à moutarde
g. un carton	7. à bijoux
h. une tasse	8. à café

127 Reliez l'objet au nom qui en précise le type.

a. une clé	1. de toilette
b. un livre	2. de voiture
c. un carreau	3. de chevet
d. une lampe	4. de salle de bains
e. un casque	5. d'eau chaude
f. une trousse	6. de moto
g. un robinet	7. de boxe
h. un gant	8. de grammaire

128 ***Les bijoux.*** Complétez avec : *plaqué, pierres, rangs, argent, oreilles, fermoir, forme, massif, carats.*

Exemple : Le bracelet de cette montre est incrusté de ***pierres*** précieuses.

a. Le bracelet a un .... en or.
b. C'est un diamant de 18 ....
c. Ce bijou est en .... or.
d. C'est une bague en argent ....
e. Ce collier a deux .... de perles fines.
f. C'est un très joli pendentif en .... de cœur.
g. Cette chaîne en .... se porte autour du cou.
h. Ces boucles d'............................. sont ornées d'un saphir.

129 Remettez les phrases dans l'ordre.

Exemple : joli/ce/cadre/Dans/une/en/j'ai/brocante/,/trouvé/bois/doré/.

→ ***Dans une brocante, j'ai trouvé ce joli cadre en bois doré.***

a. tomber/ma/mère/./J'/en/le/ai/fait/vase/de/porcelaine

→ ....

b. morceaux/est/mille/./Il/cassé/s'/en

→ ....

c. mais/peinture/beaucoup/pas/joli/./n'aime/cette/est/Je/cadre/le

→ ....

d. notre/en/Pour/il/mariage/or/offert/,/de/un/./bracelet/m'a/anniversaire

→ ....

e. autour/pour/le/mis/ficelle/On/paquet/a/transporter/une/du/.

→ ....

f. faut/pieds/des/cale/,/un/./bancale/table/il/Cette/est/sous/une/mettre

→ ....

g. se/de/risque/avec/couper/faut/ce/il/jeter/On/./verre/,/le/ébréché

→ ....

h. Personne/sort/de/de/perles/d'ici/ne/disparu/,/collier/!/a/la/princesse/le

→ ....

130 *Une idée de cadeau.* Cochez l'objet qui correspond le mieux à la situation.

Exemple : Je cherche quelque chose de pas cher pour ma fille.

1. ☐ un collier de perles

2. ☒ le dernier CD à la mode

a. Ma mère adore les bougies.

1. ☐ un chandelier

2. ☐ un lustre

b. Je voudrais gâter mon mari pour notre anniversaire de mariage.

1. ☐ un abat-jour en ficelle

2. ☐ un bel étui à lunettes en cuir

c. C'est l'anniversaire de mon petit-fils qui a 3 ans.

1. ☐ un jouet en bois

2. ☐ un vase en cristal

d. Je cherche quelque chose pour mon père, il s'intéresse au vin.

1. ☐ un joli tournevis

2. ☐ un joli tire-bouchon

e. Je voudrais offrir quelque chose de beau à ma belle-mère.

1. ☐ un manche à balai

2. ☐ un vase en porcelaine

f. Je cherche une idée pour faire un cadeau à ma sœur, elle adore coudre.

1. ☐ un nécessaire à couture

2. ☐ un carton à dessins

g. Mes meilleurs amis se marient, qu'est-ce que je pourrais leur offrir de beau ?
1. ☐ un service de table
2. ☐ des fleurs en plastique

h. Mon petit ami m'a gâtée, je voudrais lui faire un cadeau inoubliable.
1. ☐ un bocal de cornichons
2. ☐ une bague en or

131 Reliez les éléments qui ont le même sens.

a. percé	1. avec une fente
b. fendu	2. pas droit
c. plié	3. avec des taches
d. tordu	4. avec des coutures défaites
e. rayé	5. troué
f. taché	6. coupé
g. déchiré	7. avec un pli
h. décousu → 4	8. avec des rayures

132 Rayez ce qui ne convient pas.

Exemple : Les feuilles de papier sont ~~déchirées~~/*percées* pour les placer dans un classeur.

a. Elle a mis une jolie robe *trouée/fendue*.
b. On a abîmé la peinture de ma voiture, une porte est *déchirée/rayée*.
c. L'antenne de radio n'est plus bien droite, elle est *tachée/tordue*.
d. Je me suis trompé en faisant le chèque, alors je l'ai *déchiré/décousu*.
e. Ta cravate n'est pas vraiment propre, elle est *rayée/tachée*.
f. Ta cravate n'est pas unie, elle est *rayée/percée*.
g. Attention, le bas de ton pantalon est *décollé/décousu*.
h. Il y a des photos dans cette enveloppe, elle ne doit surtout pas être *piquée/pliée*.

133 Cochez l'objet qui correspond à la description.

Exemple : Elle tient dans une poche, elle sert à éclairer.
1. ☐ une cloche
2. ☒ une torche

a. Il est creux, en verre avec un large col, il fait 40 cm de haut et environ 30 cm de circonférence, il est étanche pour pouvoir contenir de l'eau.
1. ☐ un sac à main
2. ☐ un vase

b. Il se compose de deux verres arrondis et d'une monture en métal argenté.
1. ☐ des lunettes
2. ☐ une fenêtre

c. Il est circulaire, plat, il a un trou au milieu, il est brillant d'un côté et mat de l'autre.
1. ☐ un bol
2. ☐ un CD

d. Il est rectangulaire, en plastique, il tient dans la poche, il a des touches avec des numéros.
   1. ☐ un téléphone portable
   2. ☐ un stylo
e. C'est une petite boîte en carton, colorée, avec un rabat qui permet de l'ouvrir.
   1. ☐ un étui à lunettes
   2. ☐ un paquet de cigarettes
f. Il se compose de pages en papier et d'une couverture en carton.
   1. ☐ un livre
   2. ☐ un carreau
g. Elle est en fine porcelaine blanche, elle a une anse.
   1. ☐ une boule de billard
   2. ☐ une tasse
h. C'est une sorte de fenêtre composée de nombreux morceaux de verre coloré et décoré.
   1. ☐ un vitrail
   2. ☐ une barrière

134 Il y a plusieurs façons de dire « un morceau ». Reliez les éléments.

a. un grain
b. un bout
c. une part
d. un copeau
e. un éclat
f. une rondelle
g. une miette
h. un lopin

1. de gâteau
2. de bois
3. de poussière
4. de verre
5. de terre
6. de ficelle
7. de saucisson
8. de pain

135 On utilise des noms d'objets dans de nombreuses expressions courantes. Reliez chaque expression à son explication.

a. J'ai mis les pieds dans le plat.
b. Je ne suis pas dans mon assiette.
c. J'en ai ras le bol.
d. On l'a pris la main dans le sac.
e. Il a avalé un manche à balai.
f. Il a un caractère en or.
g. Il a une pierre à la place du cœur.
h. Je suis assis sur un siège éjectable.

1. On l'a pris en flagrant délit.
2. Je ne supporte plus ça.
3. Il est insensible.
4. J'ai fait une gaffe.
5. Il est coincé.
6. On peut me renvoyer n'importe quand.
7. Je ne suis pas en forme.
8. C'est quelqu'un de très facile à vivre.

Bilans

136 **Des amis discutent. Complétez leur conversation avec :** *numérique, utiles, ficelle, jouets, jeter, rouillée, roulettes, user, portable, poignée, servent, recyclables.*

Daniella *Aujourd'hui, les objets ne sont pas faits pour durer longtemps.*

Georges *Oui, ils doivent s'.......................... **(1)** vite et il faut les .... **(2)** pour en acheter d'autres.*

Didier *Heureusement, de plus en plus sont .... **(3)** pour protéger l'environnement.*

Daniella *D'autre part, il y a beaucoup de gadgets qui ne .... **(4)** pas à grand-chose, qui ne sont pas vraiment .... **(5)**, comme la brosse à dents électrique, le téléphone .... **(6)** qui est aussi un appareil photo .... **(7)**, ou le chien-robot qui peut jouer au football. Je préférerais qu'on invente un robot pour faire le ménage à ma place.*

Georges *Les .... **(8)** pour les enfants sont devenus tellement sophistiqués qu'ils sont très vite détraqués et finissent rapidement à la poubelle. Un enfant imaginatif devrait pouvoir s'amuser avec un bout de .... **(9)**.*

Didier *Il faut quelquefois des années avant de trouver la bonne idée pour un nouvel objet. Par exemple, on a eu longtemps des valises avec une simple .... **(10)** avant que quelqu'un ne pense à y mettre des .... **(11)** pour moins se fatiguer !*

Daniella *Je me demande ce que l'on trouvera au marché aux puces dans cent ans. En cherchant une vieille boîte .... **(12)**, on trouvera seulement un appareil électronique hors d'usage...*

137 **Dans son cabinet, le docteur Schlutz, spécialiste des troubles du langage à Lausanne, s'entretient avec un patient qui utilise parfois un mot pour un autre. Complétez avec le mot correct.**

Le patient *J'aime beaucoup ma veste. Elle n'est pas neuve, je l'ai beaucoup portée, vous voyez, elle est* cassée.

Le docteur *Vous voulez dire u...................... **(1)**.*

Le patient *Oui, docteur, c'est ce que j'ai dit. Elle est en véritable* truite *de veau.*

Le docteur *En c...................... **(2)** !*

Le patient *Je me sens à l'aise dedans, elle n'est pas lourde, elle est* mémère.

Le docteur *L.................... **(3)**.*

Le patient *Oui, c'est ça, et les boutons sont en métal jaune précieux, en* porc.

Le docteur *En o...................... **(4)**.*

Le patient *Je peux la porter sous la pluie, elle est* interminable.

Le docteur *I...................... **(5)** ?*

Le patient *C'est ça, docteur. Je ne pourrais rien faire sans elle. Heureusement, elle n'est pas fragile, au contraire, elle est* torride.

Le docteur *Elle est s...................... **(6)**.*

Le patient *Absolument. La peau n'est pas trop fine, elle est suffisamment* percée.

Le docteur *É...................... **(7)**.*

Le patient *Avec elle, je me sens en sécurité. Mais j'ai toujours peur de l'endommager, de l'*habiter.

Le docteur *De l'a...................... **(8)**.*

Le patient *Oui. C'est grave, docteur ?*

Le docteur *On va voir ça...*

V. L'HISTOIRE D'UNE VIE

A. La rencontre

138 ***Comment rencontre-t-on l'homme ou la femme de sa vie ?*** **Notez de 1 à 8 pour retrouver l'ordre de cette histoire.**

a. Je n'ai pas vu passer la soirée. ( )
b. Nous nous sommes donné rendez-vous pour le samedi suivant. ( )
c. Il y a eu un slow. Nous nous sommes rapprochés. Nous avons échangé des baisers. ( )
d. Nous sommes allés nous asseoir pour boire et nous avons bavardé. ( )
e. À l'époque, il y avait encore des bals. Un samedi soir, j'y étais allée avec des copines. ( )
f. Toute la semaine, j'étais impatiente de le revoir. Je me suis rendu compte que j'étais tombée amoureuse de lui. ( )
g. Un jeune homme est venu m'inviter à danser. ( )
h. Il avait l'air gentil et sérieux. J'ai accepté. ( )

139 **Reliez les phrases de sens opposé.**

a. Personne ne m'a abordée.
b. J'ai refusé. → 4
c. Je suis tombée amoureuse.
d. Je me suis éloignée.
e. Le temps m'a semblé long.
f. Il ne me paraissait pas sympa.
g. Nous n'avons pas parlé.
h. Nous nous sommes ennuyés.

1. Il avait l'air gentil.
2. Il m'a laissée indifférente.
3. Je me suis rapprochée.
4. J'ai accepté.
5. Nous avons bavardé.
6. Nous nous sommes bien amusés.
7. Je n'ai pas vu le temps passer.
8. On m'a invitée à danser.

140 **Complétez avec :** *remarqué, rompre, quittés, croisée, proposé, refaire, abordée, passé, changer*.

Exemple : J'étais déjà divorcé et je venais de ***rompre*** avec une autre femme.

a. J'avais perdu l'espoir de trouver quelqu'un d'autre avec qui .... ma vie.
b. Pour me .... les idées, je suis parti en croisière. J'avais aussi de vagues projets professionnels concernant l'Asie.
c. Le premier soir, comme j'allais dîner à bord, j'ai .... une jolie femme, blonde aux yeux bleu clair. Elle était souriante et avait beaucoup de classe. Aucun homme ne l'accompagnait.
d. Le lendemain, je l'ai .... pendant une excursion.

e. Je l'ai .... et nous avons échangé quelques mots.
f. Je lui ai .... de dîner à la même table le soir. Elle a ri et elle a accepté.
g. Nous avons .... le reste de la croisière ensemble.
h. Et depuis, nous ne nous sommes plus ....

141 **Complétez avec le verbe correspondant au nom.**

Exemple : une vie → ***vivre***

a. une rencontre → ....
b. une rupture → ....
c. un regard → ....
d. un changement → ....
e. un partage → ....
f. une pensée → ....
g. une attente → ....
h. un espoir → ....

142 **Complétez avec :** *impatience, connus, séduite, reconnaître, plu, nous rencontrer, vivre, rencontrer, présenter*.

Exemple : Nous nous sommes ***connus*** grâce à Internet.

a. Nous étions tous les deux célibataires et nous n'arrivions pas à .... l'âme sœur.
b. Nous nous sommes connectés à un site de rencontre. D'abord, j'ai été .... par sa photo, c'est un très joli garçon.
c. De plus, dans sa manière de se ...., il avait un certain humour, et ça, je n'y résiste pas.
d. J'ai donc décidé de lui envoyer un message. J'ai attendu sa réponse pendant trois jours, je bouillais d'........................ ; en fait, il avait dû s'absenter et n'avait pas pu me répondre plus tôt.
e. Nous n'étions pas tout à fait dans la même région mais pas trop loin quand même. Après avoir échangé de nombreux méls, nous avons décidé de ....
f. C'était assez hors du commun à l'époque. Nous avons pris rendez-vous dans un café. Il m'a dit comment il serait habillé pour le .... plus facilement.
g. Je suis arrivée au rendez-vous la première. Quand je l'ai vu entrer dans le café, j'ai senti mon cœur battre plus fort. Nous nous sommes .... tout de suite.
h. Nous nous sommes revus de plus en plus souvent et avons finalement décidé de .... ensemble.

143 **Complétez avec le nom qui convient.**

Exemple : J'ai rencontré quelqu'un, j'ai fait une ***rencontre***.

a. Elle est très patiente, elle a beaucoup de ....
b. J'ai attendu longtemps, c'était une longue ....
c. Pourquoi étiez-vous absent ? Quel est le motif de votre .... ?
d. Vous devez être présent, nous comptons sur votre ....

e. Voilà ce que j'ai décidé, j'ai pris cette ....

f. Nous nous sommes connus comme ça, nous avons fait ....

g. Que répondez-vous ? Quelle est votre .... ?

h. Que choisissez-vous ? Quel est votre .... ?

144 Reliez les éléments qui ont le même sens.

a. la manière
b. réaliser
c. séduire
d. aller avec
e. lui et moi → 7
f. avoir une chose pour deux
g. rencontrer par hasard quelqu'un que l'on connaît
h. tomber amoureux immédiatement

1. avoir le coup de foudre
2. croiser
3. accompagner
4. se rendre compte
5. la façon
6. partager
7. ensemble
8. charmer

145 Complétez les mots de ce texte.

Je suis allée au marché pour acheter des mandarines. Il est passé devant moi. Nos regards se sont croisés. Ça a été, pour tous les deux, le c........................ **(a)** de foudre, quelque chose qui n'arrive pratiquement jamais. Nous avons engagé la conversation. Nous avons terminé nos courses ensemble. Au moment de quitter le marché, il m'a demandé de l'attendre un instant et il est revenu cinq minutes plus tard avec des fleurs. Il m'a o........................ **(b)** les fleurs et m'a p........................ **(c)** d'aller boire un verre dans le coin. Nous nous sommes installés à une terrasse de café et nous avons b........................ **(d)** très longtemps pour mieux faire c........................ **(e)**. En fait, nous n'avons pas vu le temps p........................ **(f)**. Il m'a proposé de nous revoir le lendemain. J'ai bien sûr a........................ **(g)**. J'ai eu beaucoup de mal à m'endormir cette nuit-là car je pensais très fort à lui. À partir de ce jour-là, nous ne nous sommes plus q........................ **(h)**.

146 Complétez avec le nom correspondant au verbe.

Exemple : rencontrer → une ***rencontre***

a. se marier → un ....
b. divorcer → un ....
c. rompre → une ....
d. se séparer → une ....
e. proposer → une ....
f. changer → un ....
g. échanger → un ....
h. espérer → un ....

B. LA VIE DE FAMILLE

147 **Cochez l'événement qui arrive en premier.**

Exemple : **1.** ☐ se marier **2.** ☒ se rencontrer

a. **1.** ☐ le mariage **2.** ☐ les fiançailles
b. **1.** ☐ se marier **2.** ☐ se remarier
c. **1.** ☐ dire « oui » devant monsieur le maire **2.** ☐ envoyer les faire-part
d. **1.** ☐ accoucher **2.** ☐ être enceinte
e. **1.** ☐ élever ses enfants **2.** ☐ avoir des enfants
f. **1.** ☐ le baptême **2.** ☐ la naissance
g. **1.** ☐ les enfants naissent **2.** ☐ les enfants grandissent
h. **1.** ☐ les enfants sont majeurs **2.** ☐ les enfants sont mineurs

148 **Notez de 1 à 8 pour décrire les étapes d'un mariage traditionnel.**

a. Ils envoient des faire-part aux invités et font publier les bans. ( )
b. Ils vont à la mairie pour le mariage civil. ( )
c. Ils se fiancent. ( )
d. Ils sortent en musique et les invités vont à la réception. ( )
e. Ils échangent leurs alliances. ( )
f. Ils vont à l'église pour le mariage religieux. ( )
g. Les invités sont conviés à un vin d'honneur. ( )
h. Ils échangent leur consentement et on applaudit. ( )

149 ***Le déroulement d'un mariage.*** **Rayez ce qui ne convient pas.**

Exemple : Il est obligatoire de publier les *bans/~~bilans~~* à la mairie.

a. Avant le mariage, ils ont envoyé des *faire-part/laissez-passer* aux invités.
b. Le jour du mariage, nous sommes d'abord allés à *l'église/la mairie*.
c. Les *témoins/gendarmes* ont signé le registre d'état civil.
d. Ensuite, nous sommes allés à *l'église/la mairie*.
e. Le garçon et la demoiselle *d'honneur/de cérémonie* ont aidé la mariée à marcher avec sa grande robe blanche, son voile et sa traîne.
f. Les mariés ont échangé leurs *cadeaux/alliances*.
g. À la sortie, les gens ont jeté *du riz/de l'argent* sur les mariés.
h. Nous sommes allés dans un restaurant pour la *réception/cérémonie*.

150 ***Les traditions du mariage.*** **Rayez ce qui ne convient pas.**

Exemple : Jacqueline va *~~épousseter~~/épouser* Didier.

a. À la mairie, les futurs époux sont mariés par leur *père/maire*.
b. Ils échangent leur *contentement/consentement*.
c. À l'église, la mariée porte une robe *noire/blanche*.
d. Les époux échangent une *alliance/bague*.

e. Les proches sont très *émus/remués*.
f. Les invités vont à la *perception/réception*.
g. On mange, on chante et on *dort/danse*.
h. Les époux partent ensuite en voyage de *négoce/noces*.

151 **Reliez les éléments qui ont le même sens.**

a. les époux
b. le voyage de noces
c. épouser quelqu'un
d. l'accord
e. le mari ou la femme → 7
f. demander la main
g. la cérémonie nuptiale
h. les proches

1. proposer le mariage
2. le mariage
3. la lune de miel
4. les mariés
5. le consentement
6. les parents et amis intimes
7. le conjoint
8. se marier avec quelqu'un

152 ***Les différentes traditions concernant le mariage.*** **Complétez avec :** *date, demande, futur, dot, casse, même, bûcher, arrangé, polygamie*.

Exemple : Les parents du jeune homme vont rendre visite aux parents de la jeune fille pour faire la ***demande*** en mariage.

a. Le mariage est .... par les familles.
b. La famille de l'épouse verse une .... au mari.
c. On consulte les astrologues pour fixer la .... du mariage.
d. L'homme peut avoir plusieurs épouses, c'est la ....
e. On peut épouser une personne du .... sexe.
f. Les jeunes hommes célibataires dansent devant les jeunes filles qui choisissent leur .... époux.
g. Le marié .... un verre.
h. La veuve se sacrifie sur le .... de son mari.

153 ***Un heureux événement !*** **Complétez avec :** *maternité, enceinte, déroulé, assisté, ombilical, grossesse, prématuré, anesthésie, accouché*.

Exemple : Martine était ***enceinte*** depuis 9 mois.

a. Elle est arrivée au terme de sa ....
b. Le bébé n'est pas ....
c. On l'a transportée en ambulance à la ....
d. Elle a .... hier.
e. On lui a fait une .... péridurale.
f. L'accouchement s'est bien ....
g. On a coupé le cordon ....
h. Le père a .... à la naissance.

154 Reliez les éléments qui ont le même sens.

a. accoucher
b. un nouveau-né
c. une sage-femme
d. une maternité
e. prématuré → 4
f. une couveuse
g. assister à quelque chose
h. anesthésier

1. une spécialiste de l'accouchement
2. mettre au monde
3. endormir pour une opération
4. arrivé avant le terme de la grossesse
5. être présent
6. un bébé
7. une clinique spécialisée pour l'accouchement
8. un incubateur

155 Complétez avec le nom correspondant au verbe.

Exemple : accoucher → un ***accouchement***

a. naître → la ....
b. mourir → la ....
c. adopter → l' ....
d. transporter → le ....
e. se dérouler → le ....
f. se contracter → la ....
g. évoluer → l' ....
h. autoriser → l' ....

156 Complétez avec le nom qui convient.

Exemple : Il est adolescent. Il est en pleine ***adolescence***.

a. Je suis né dans cette région. J'y habite depuis ma ....
b. J'étais enfant dans ce quartier. J'y ai passé mon ....
c. J'étais jeune dans ce pays. J'y ai passé ma ....
d. Elle a accouché trois fois, elle a eu trois ....
e. Ils resteront là jusqu'à ce qu'ils soient vieux, jusqu'à leur ....
f. On l'a transportée à la maternité, elle a perdu connaissance pendant son ....
g. Nous envisageons d'adopter un enfant, nous pensons faire une ....
h. Il vient de mourir, on a annoncé sa ....

157 Reliez les deux parties de la phrase.

a. C'est ma première langue, c'est ma langue
b. C'est le pays où je suis né, c'est mon pays
c. Il exerce son rôle de père, son autorité
d. La vie en famille, c'est la vie
e. Il aime ses parents comme un fils, il éprouve un amour
f. Il faut une autorisation des parents, un accord
g. L'amour pour ses frères et sœurs, c'est l'amour
h. Ce poison peut tuer, il est

1. familiale.
2. parental.
3. filial.
4. maternelle.
5. natal.
6. mortel.
7. paternelle.
8. fraternel.

158 Complétez avec : *demi-sœur, beaux-parents, marraine, demi-frère, nourrice, belle-mère, parrain, orphelin, assistante sociale*.

Exemple : Ce sont les parents du conjoint : les ***beaux-parents***.

a. Au baptême, c'est l'homme qui promet de prendre en charge un enfant en cas de nécessité : le ....
b. Au baptême, c'est la femme qui promet de prendre en charge un enfant en cas de nécessité : la ....
c. C'est un frère par le père ou la mère seulement : un ....
d. C'est une sœur par le père ou la mère seulement : une ....
e. C'est un enfant dont un parent est mort, ou les deux parents : un ....
f. C'est une femme dont le métier est d'aider les personnes ou les familles en difficulté : une ....
g. C'est une femme dont le métier est de garder de très jeunes enfants : une ....
h. C'est la mère du mari ou de l'épouse, ou bien la nouvelle épouse du père : la ....

159 Complétez ce texte de la Sécurité sociale avec : *naissance, bébé, acte, livret, futur, allocations, recommandée, maternité, attestation*.

Vous attendez un ***bébé*** ?
Depuis le 1er janvier 2002, tout .... **(a)** père a droit, dans les quatre mois qui suivent la .... **(b)** de l'enfant, à un congé de onze jours, qui s'ajoute aux trois jours de congé déjà accordés au père pour une naissance. Pendant ce congé, il sera indemnisé de la même façon que la future mère pendant son congé .... **(c)**, sous la forme d'indemnités journalières.
Pour obtenir congés et indemnités, deux lettres suffisent :
une lettre .... **(d)** à l'employeur au moins un mois avant le début du congé, l'autre à votre centre d'assurance maladie, accompagnée d'une .... **(e)** de salaire et d'un extrait d'............................ **(f)** de naissance, d'une copie du .... **(g)** de famille mis à jour ou d'un acte de reconnaissance.
Le livret de paternité est envoyé par la Caisse d'............................ **(h)** familiales.

160 Remettez les phrases dans l'ordre.

Exemple : Ils/leur/choyé/très/./s'occupent/de/il/bien/,/enfant/est
→ ***Ils s'occupent très bien de leur enfant, il est choyé.***

a. son/berceau/./dans/tranquillement/bébé/dort/Le
→ ....
b. tout/ce/un/C'est/enfant/qu'il/gâté/il/a/,/demande/.
→ ....
c. des/nous/offert/de/le/ont/leur/pour/fille/dragées/baptême/./Ils
→ ....
d. a/Il/parental/de/pour/./son/enfants/congé/pris/s'occuper/ses
→ ....
e. avant/son/dépose/travail/./Il/la/fils/à/crèche/au/d'aller
→ ....
f. du/à/./les/joindre/bouts/familiales/ils/Même/,/deux/les/allocations/ont/avec/mal
→ ....
g. la/obtenu/la/garde/./a/ont/et/l'enfant/de/Ils/divorcé/qui/c'est/mère
→ ....
h. payer/Depuis/pension/forte/,/une/alimentaire/./il/divorce/doit/le
→ ....

161 ***Un style de vie.*** **Complétez avec :** *grandir, habitent, participe, vont, benjamin, hérité, élevés, aîné, restée*.

Exemple : M. et Mme Lamartinière ***habitent*** dans un village.

a. Ils ont .... de leurs parents une belle maison qu'ils ont du mal à entretenir.
b. Ils ont cinq enfants. Ils .... tous à l'école catholique.
c. Toute la famille .... aux activités organisées par l'église.
d. Les parents pensent que c'est mieux pour les enfants de .... à la campagne.
e. Ils les ont .... dans le respect des traditions.
f. Mme Lamartinière est toujours .... à la maison pour s'occuper des enfants.
g. L'........................... a 32 ans, il a fondé son propre foyer et habite dans la ville voisine.
h. Le .... a 25 ans et n'est pas prêt à quitter le cocon familial.

162 **Complétez avec :** *benjamin, livret, HLM, aîné, allocations, foyer, cadet, cité, colonies*.

Exemple : **Le *livret* de famille est un document officiel.**

a. L'enfant le plus âgé d'une famille est l' ....
b. L'enfant né en deuxième est le ....
c. Le dernier-né est le ....
d. Une mère qui ne travaille pas à l'extérieur est une mère au ....
e. Une .... est un logement social.
f. Les familles reçoivent de l'argent de l'État, les .... familiales.
g. Les centres pour les vacances des enfants sont des .... de vacances.
h. Un ensemble de HLM, c'est une ....

163 ***Un style de vie.*** **Complétez avec :** *cité, HLM, fêtes, allocations, mal, surveiller, amélioration, colonie, moyens*.

Exemple : Les Roussin ne payent pas cher de loyer, ils habitent une ***HLM*** avec leurs trois enfants.

a. Ils sont dans une .... près de Lille.
b. L'été, les parents n'ont pas les .... de partir, ils vont juste passer quelques jours chez des amis dans la région.
c. Les deux plus grands enfants partent chaque année en .... de vacances.
d. Les Roussin adorent les .... organisées dans leur région.
e. Ils reçoivent différentes aides sociales : les .... familiales, l'aide au logement.
f. Mais ils ont du .... à finir le mois.
g. Ils aimeraient habiter dans un quartier plus tranquille pour mieux .... les fréquentations de leurs enfants.
h. Ils n'ont pas beaucoup d'espoir d'............................ dans les prochaines années.

164 ***Un style de vie.*** **Complétez avec :** *ouvrir, arrondissement, disputes, résidence, s'ennuyer, profiter, chiner, laisser, faire*.

Exemple : M. et Mme Périer habitent dans le 6e ***arrondissement*** de Paris. Ils ont deux enfants.

a. Dès qu'il fait beau, ils partent dans leur .... secondaire en Normandie, près de Cabourg.
b. Les enfants y sont très heureux. Ils peuvent .... du bon air et ils dépensent leur énergie.
c. Les parents aiment parcourir la région et .... dans les salles des ventes.
d. Ils aimeraient .... une boutique de brocante, vivre toute l'année dans cette maison et n'aller à Paris que de temps en temps.
e. Leurs enfants ne sont pas d'accord, ils ne veulent pas .... tomber tous leurs copains.
f. Ils disent qu'ils ont peur de .... toute l'année à la campagne.
g. Leurs parents leur expliquent qu'ils pourraient se .... de nouveaux amis dans la région.
h. C'est l'objet d'interminables discussions qui finissent régulièrement en ....

165 **Complétez avec :** *influence, adolescent, inquiète, bêtises, bagarre, cachette, occuper, bande, traîner*.

Exemple : La vie avec un ***adolescent*** difficile.

a. Je suis ....

b. Mon fils a 15 ans. Je vis seule avec lui. Je n'ai pas le temps de m'................................ suffisamment de lui.

c. Après l'école, je pense qu'il aime .... dans les rues avec son copain.

d. Ce garçon a une mauvaise .... sur lui.

e. Ils doivent faire des .... Ils font des virées en mobylette avec les voyous de la cité.

f. Quelquefois, il se ...., il rentre tard, il a des bleus, mais il ne veut jamais m'expliquer ce qui lui est arrivé exactement.

g. Plus tard, j'ai peur qu'il se mette à boire en .... ou même à se droguer.

h. J'espère qu'il ne fait pas partie d'une ....

166 **Reliez les éléments qui ont le même sens.**

a. ils n'ont pas les moyens
b. ils ont du mal
c. les grands ensembles
d. une résidence secondaire → 3
e. laisser tomber
f. une famille monoparentale
g. secrètement
h. des choses interdites que les enfants font quand même

1. un foyer avec un seul parent
2. en cachette
3. une maison de campagne
4. c'est difficile
5. ils n'ont pas l'argent nécessaire
6. des bêtises
7. quitter
8. les cités HLM

167 **Complétez avec le verbe correspondant au nom.**

Exemple : une explication → ***expliquer***

a. un héritage → ....
b. l'entretien → ....
c. une influence → ....
d. une bagarre → se ....
e. une discussion → ....
f. une dispute → se ....
g. une interdiction → ....
h. une amélioration → ....

C. UNE AUTRE VIE

168 **Un déménagement. Complétez avec :** *abîmé, déménagé, déballer, déménageurs, descendu, emballé, déchargé, chargé, démonté*.

Exemple : Le mois dernier, nous avons ***déménagé***.

a. La veille, nous avions .... les objets dans des caisses.
b. Les .... sont arrivés à 8 heures.
c. Ils ont .... toutes les caisses.
d. Ils ont .... les plus gros meubles.
e. Une fois le camion ...., nous nous sommes rendus à notre nouvelle adresse.
f. Ils ont .... le camion.
g. Heureusement, rien n'a été ....
h. Nous n'avons pas encore fini de .... les cartons.

169 **Changer de métier. Complétez avec :** *patron, vendeur, regrette, métier, s'amuse, épanoui, bonheur, se débarrasser, s'éclate*.

Exemple : Il a commencé à travailler comme ***vendeur*** d'électroménager dans une grande chaîne de magasins.

a. Il n'a jamais vraiment aimé son .... Il a toujours eu envie de faire autre chose, sans savoir exactement quoi. Il avait envie d'un changement.
b. Un jour, il est parti en vacances au Mexique. Il a eu le sentiment qu'il trouverait le .... dans ce pays.
c. Il est rentré chez lui pour .... de toutes ses affaires et il est reparti au Mexique. Il a ouvert un magasin d'articles de décoration venant de France.
d. Ce travail l'intéresse et en même temps, il .... bien.
e. Il « .... », comme il dit familièrement.
f. C'est vrai qu'il a l'air d'être ....
g. Il est devenu son propre ....
h. Il s'est mis à l'espagnol et maintenant, il le parle couramment. Il ne .... vraiment pas son ancienne vie.

170 **Reliez les phrases de sens opposé.**

a. Il travaille pour quelqu'un.
b. Il s'ennuie.
c. Il veut continuer à faire la même chose.
d. Il est heureux.
e. Il garde toutes ses affaires.
f. Il est parti.
g. Il a arrêté de faire ça.
h. Il est frustré. → 5

1. Il se débarrasse de tout.
2. Il veut changer.
3. Il est son propre patron.
4. Il s'est mis à faire ça.
5. Il est épanoui.
6. Il s'amuse.
7. Il est rentré chez lui.
8. Il est malheureux.

171 ***Ils ont une double vie.*** **Remettez les phrases dans l'ordre pour connaître leur deuxième activité.**

Exemple : Pendant la journée, Yves est fonctionnaire dans une grande administration.
chante/un/soir/./dans/,/cabaret/Le/il
→ ***Le soir, il chante dans un cabaret.***

a. Paul est professeur d'histoire dans un lycée.
thème/./Pendant/vacances/organise/,/à/les/des/croisières/il
→ ....

b. Jacqueline est vendeuse dans un supermarché.
miel/a/bio/pour/passion/./fabrique/et/les/une/elle/Elle/abeilles/du
→ ....

c. Michel est agriculteur.
il/à/poésie/la/et/poètes/Il/s'intéresse/des/latins/traduit/.
→ ....

d. François est chef d'entreprise.
expert/en/régulièrement/organise/et/dégustation/./de/vin/séances/des/est/Il
→ ....

e. Claude est un excellent coiffeur.
passionné/il/œuvres/./C'est/un/a/ses/exposé/photo/déjà/et/aussi/de
→ ....

f. Marianne est comptable.
à/Bourse/elle/pour/./elle/Mais/rentre/,/qu'elle/chez/jouer/connecte/dès/Internet/se/en
→ ....

g. Depuis peu, Robert est à la retraite.
consacre/,/publiés/./Il/en/se/il/sont/aux/et/crée/mots/croisés/ils
→ ....

h. Denis dirige un grand magasin.
partie/./des/fait/Il/également/secrets/services
→ ....

172 ***Gagner le gros lot.*** **Complétez le texte avec :** *disposition, économise, gâché, intérêts, fêté, s'entend, profiter, arrêté, engagé*.

M. Dupuy a gagné 150 000 euros au loto. Il a d'abord ***fêté*** ça avec ses amis et sa famille. Il les a invités dans un bon restaurant. Il a acheté un appartement. Il n'a donc plus de loyer à payer. Avec ce qu'il .... **(a)**, il peut se payer un beau voyage chaque année.
M. Segal a gagné 1 million d'euros au loto. Il a acheté un luxueux appartement qu'il a mis en location. Chaque mois, il encaisse le loyer, ce qui lui permet de vivre. Il a acheté une belle voiture. Son vrai luxe, dit-il, c'est d'avoir .... **(b)** un chauffeur. En effet, il aime beaucoup se promener en voiture mais il trouve que son plaisir est

.... **(c)** s'il doit conduire. Quand il en a besoin, il appelle son chauffeur. Il le met aussi à la .... **(d)** de sa mère qui est âgée. Comme il .... **(e)** très bien avec son chauffeur, ils partent quelquefois ensemble sur les routes pendant plusieurs jours, ou même plusieurs semaines.

M. Gomez a gagné 15 millions d'euros au loto. Il a .... **(f)** de travailler. Il a acheté un bel appartement pour lui et une maison au bord de la mer dont il fait .... **(g)** sa famille. Il vit avec les .... **(h)** de son capital.

D. Et après...

173 **Complétez avec :** *décéder, décès, éteint, mort, péri, disparition, deuil, succombé, quittés*.

Exemple : C'est avec une grande tristesse que nous avons appris le ***décès*** de notre directeur.

a. Il s'est .... parmi les siens.
b. Nous déplorons la .... de notre camarade.
c. Nous portons le .... de notre père.
d. Il vient de .... à l'âge de 83 ans.
e. Il a .... à ses blessures.
f. Il est .... pendant la nuit.
g. Il nous a .... hier soir.
h. Il a .... dans l'incendie.

174 **Complétez avec :** *tombe, cimetière, cercueil, enterré, cendres, incinéré, urne, inhumation, couronnes*.

Exemple : Le défunt repose au ***cimetière*** de son village.

a. On l'a .... dans son caveau familial.
b. Nous nous sommes recueillis sur sa ....
c. Nous avons assisté à l'...
d. Le .... a été mis en terre.
e. Il y avait de nombreuses .... de fleurs.
f. Il préfère être ....
g. On remettra ses .... à sa famille.
h. Sa femme conservera l' .... funéraire.

Bilans

175 **Des amis discutent. Certains mots de leur conversation sont à compléter.**

Francis *Tu as envie de te marier, toi ?*

Nathalie *Il faudrait déjà que je r........................ **(1)** l'âme sœur. Mais oui, ça me plairait bien, surtout parce que c'est l'occasion de faire la fête avec tous les gens qu'on aime.*

Francis *Un vrai mariage, avec les f........................ **(2)** envoyés aux invités, la l........................ **(3)** de mariage dans un magasin, la robe blanche, le voile, la traîne, le garçon et la demoiselle d'h........................ **(4)**.*

Nathalie *Oui, et les amis qui servent de t........................ **(5)**, la messe à l'église, le riz qu'on nous jette à la sortie, la marche nuptiale de Mendelssohn...*

Francis *Tu ne trouves pas que c'est un peu dépassé ?*

Nathalie *Je trouve que c'est une belle journée, de beaux souvenirs. Tu proposes quoi à la place ?*

Francis *De vivre comme on veut, avec qui on veut...*

Nathalie *Légèrement moins romantique. Et tu as l'intention d'avoir des enfants ?*

Francis *Je ne suis pas sûr d'en vouloir. Tu sais, on se donne bien du mal, on les met au m........................ **(6)**, on les é........................ **(7)**, on s'o........................ **(8)** d'eux, on les surveille, on leur donne un parrain et une m........................ **(9)**, et finalement, ils vont peut-être traîner dans les rues, faire des b........................ **(10)**, entrer dans des bandes, tout casser dans leur cité...*

Nathalie *Pas tous quand même ! Tu m'as l'air bien pessimiste !*

Francis *Oui, des fois, j'ai bien envie de changer complètement de vie, de d........................ **(11)**, d'aller m'installer ailleurs, sur un autre continent, de recommencer à zéro et, qui sait, d'être heureux, de trouver le b................................ **(12)**.*

Nathalie *Et tu vivrais de quoi ?*

Francis *Je pourrais garder les enfants des autres, tiens, ça, on peut le faire n'importe où !*

176 **Dans son cabinet, le docteur Schlutz, spécialiste des troubles du langage à Lausanne, s'entretient avec un patient qui utilise parfois un mot pour un autre. Complétez avec le mot correct.**

Le patient *Je vais vous raconter mon dernier rêve. Ma mère accouchait. J'étais un bébé en train de* mettre.

Le docteur *De n...................... (1) !*

Le patient *On venait de me couper le* torchon *ombilical.*

Le docteur *Le c...................... (2) !*

Le patient *On m'a dit que j'étais* perforé *et que je devais rester dans une couveuse.*

Le docteur *Vous voulez dire p...................... (3) !*

Le patient *Oui, c'est ça, alors je me suis fâché et je suis parti en courant. La* femme de ménage *qui venait d'accoucher ma mère était tellement étonnée qu'elle n'a rien fait pour me rattraper.*

Le docteur *La s...................... (4), oui, on comprend son étonnement. Ensuite ?*

Le patient *Je traversais la ville en courant, mais mon aspect changeait, je n'arrêtais pas de grandir. En quelques minutes, je suis passé d'un nouveau-né à un* arborescent *de 15 ou 16 ans.*

Le docteur *Un a...................... (5) ?*

Le patient *Oui, docteur. Et quelques minutes après, j'étais adulte. Le temps de traverser la ville, j'étais déjà vieux. J'ai juste eu le temps d'aller au cimetière et de trouver la* bombe *où on allait me mettre.*

Le docteur *Votre t...................... (6) !*

Le patient *Oui, quand je suis entré, mon* fauteuil *était ouvert, prêt pour moi. J'ai tout juste eu le temps de m'allonger dedans.*

Le docteur *Votre c...................... (7).*

Le patient *Et on m'a descendu en terre, on m'a* emmuré.

Le docteur *On vous a e...................... (8).*

Le patient *C'est grave, docteur ?*

Le docteur *On va voir ça...*

VI. LES PROBLÈMES DOMESTIQUES

177 **Reliez chaque problème à la personne qu'il faut appeler pour le résoudre.**

a. Il y a une fuite d'eau, j'appelle → 2. le plombier.
b. Il n'y a plus de courant, j'appelle
c. La télé ne marche plus, j'appelle
d. Il y a une grosse tache au plafond, j'appelle
e. J'ai oublié mes clés à l'intérieur, j'appelle
f. Il y a le feu, j'appelle
g. J'ai été cambriolé, j'appelle
h. La cheminée est bouchée, j'appelle

1. les pompiers.
2. le plombier.
3. le peintre.
4. le dépanneur.
5. la police.
6. le serrurier.
7. le ramoneur.
8. l'électricien.

178 ***Un cambriolage.*** **Complétez avec :** *inventaire, effraction, plainte, forcé, déclaration, volé, blindée, vidé, fouillé.*

Exemple : Les cambrioleurs sont entrés par ***effraction***.

a. On a .... la porte de notre appartement.
b. On a .... partout.
c. On nous a .... nos bijoux.
d. On a .... les tiroirs.
e. Nous avons fait un .... des pertes.
f. Nous sommes allés au commissariat pour faire une déclaration de vol et déposer une ....
g. Nous avons fait une .... auprès de notre compagnie d'assurances.
h. Nous allons faire installer une porte .... et une alarme.

179 ***Que faire après un cambriolage ?*** **Cochez la meilleure proposition.**

Exemple : On a emporté mes clés.
1. ☐ Je fais refaire une clé.
2. ☒ Je fais changer la serrure.

a. La porte d'entrée ne ferme plus.
1. ☐ Je laisse ouvert.
2. ☐ Je fais venir un serrurier.

b. On m'a volé mon chéquier et ma carte bleue.
1. ☐ J'appelle ma banque pour faire opposition.
2. ☐ Je vais à la banque pour retirer du liquide.

c. Avant d'appeler la police,
1. ☐ je range tout
2. ☐ je laisse tout en l'état.

d. J'envoie rapidement à mon assurance
   1. ☐ une carte postale
   2. ☐ une déclaration écrite.

e. Je cherche les factures des objets disparus
   1. ☐ pour les racheter au magasin
   2. ☐ pour me faire rembourser par l'assurance.

f. La compagnie d'assurances envoie généralement au domicile
   1. ☐ un pompier
   2. ☐ un expert.

g. Il fait un
   1. ☐ constat des dégâts
   2. ☐ contrat des dégâts.

h. Il y a une somme fixe qui n'est pas remboursée, c'est
   1. ☐ la factrice
   2. ☐ la franchise.

180 ***Une chute.*** **Complétez avec :** *rattraper, tombée, avertis, raté, glissé, transportée, cassé, fait, appelé.*

Exemple : Notre grand-mère est ***tombée*** dans l'escalier.

a. Son pied a .... sur un papier qui traînait.
b. Elle a .... une marche.
c. Elle n'a pas réussi à se .... à la rampe.
d. Elle s'est .... très mal.
e. La gardienne nous a ....
f. Nous avons .... les pompiers.
g. Elle a été .... d'urgence à l'hôpital.
h. Elle s'est .... le col du fémur.

181 **Complétez avec le nom correspondant au verbe.**

Exemple : tacher → une ***tache***

a. cambrioler → un ....
b. voler → un ....
c. se plaindre → une ....
d. déclarer → une ....
e. perdre → une ....
f. rembourser → un ....
g. tomber → une ....
h. constater → un ....

182 Rayez l'intrus.

Exemple : l'habitation – ~~l'aération~~ – la maison – le domicile

a. voler – dérober – cambrioler – un volet
b. un incendie – une poignée – brûler – le feu
c. une fenêtre – un volet – une prise – un carreau
d. une porte – une poignée – une charnière – une cloison
e. un coin – un verrou – un cadenas – une serrure
f. un parquet – un plancher – une latte – un conduit
g. un mur – un robinet – une cloison – la maçonnerie
h. une chaudière – un radiateur – une poutre – un convecteur

183 Reliez les éléments.

a. un joint	1. de cadenas
b. une poignée	2. de robinet
c. un carreau	3. de cheminée
d. un conduit	4. de salle de bains
e. une couche	5. d'escalier
f. une clé	6. de peinture
g. une rampe → 5	7. de courant
h. une prise	8. de porte

184 Complétez avec le mot qui convient.

Exemple : J'ai fait tomber une bouteille de vin sur le tapis en laine, maintenant il y a une énorme t***ache***.

a. Allô, viens vite, on nous a tout volé, on a eu un c................................
b. C'est une catastrophe, tout a brûlé, il y a eu un i................................
c. La machine à laver est en panne, il y a de l'eau partout, il y a une i................................
d. Tout a explosé, il y a eu une f................................ de gaz.
e. Il n'y a plus de chauffage, la chaudière est tombée en p................................
f. À cause du gel, les t................................ d'eau ont explosé.
g. Il y a eu une tempête terrible, le t................................ de la maison est parti.
h. Un arbre est tombé sur la maison, il y a beaucoup de d................................

185 Cochez l'élément qui convient le mieux.

Exemple : Nous avons mis du lino ☒ au sol ☐ sur le toit.

a. Il faut changer les carreaux ☐ aux volets ☐ aux fenêtres.
b. Il y a des dalles ☐ par terre ☐ sur le papier peint.
c. Je voudrais du parquet ☐ aux fenêtres ☐ au sol.
d. Il a posé du carrelage ☐ au sol ☐ au plafond.
e. J'aime bien ce crépi ☐ au sol ☐ au mur.
f. On va installer un store ☐ au plafond ☐ à la fenêtre.
g. Est-ce qu'on met de la moquette ☐ au sol ☐ sur le toit ?
h. Il ne reste plus qu'à poser du papier peint ☐ au sol ☐ au mur.

186 *La plomberie.* **Complétez avec :** *siphon, état, pression, chaudière, tuyau, joint, évacuation, chauffe-eau, chasse d'eau.*

Exemple : La plomberie chez moi est en mauvais ***état***.

a. Quand j'ouvre le robinet, il y a très peu d'eau qui coule, il n'y a sûrement pas assez de ....
b. Quand je ferme le robinet, l'eau continue de couler, il faut changer le ....
c. L'eau reste dans le lavabo, elle ne s'écoule pas, il faut déboucher le ....
d. Dans les toilettes, l'eau n'arrête pas de couler, il faut réparer la ....
e. Il n'y a plus d'eau chaude, il faut détartrer le ....
f. Il n'y a plus de chauffage, il faut réparer la ....
g. Il y a une fuite, il faut réparer un ....
h. Le lave-linge a une fuite, il n'est pas bien raccordé à l'................................

187 **Reliez chaque situation à l'objet qui correspond.**

a. remplacer une vitre	1. de la colle
b. refaire la peinture	2. du mastic
c. réparer la tuyauterie	3. de l'enduit
d. colmater une fissure	4. un fer à souder
e. éteindre les flammes	5. une serpillière
f. recoller le papier peint	6. un extincteur
g. éponger l'eau d'une fuite → 5	7. une perceuse
h. faire un trou dans le mur	8. un rouleau

188 ***L'électricité.*** **Complétez avec :** *fusible, interrupteur, court-circuit, coupure, compteur, consommation, watts, prise, volts.*

Exemple : Au mur, le bouton qui sert à allumer ou à éteindre la lumière est un ***interrupteur***.

a. En cas de gros problème (inondation, orage...), je coupe l'électricité au ....
b. Dans chaque pièce, je peux brancher un appareil à la .... qui se trouve dans le mur.
c. Par sécurité, un .... peut sauter au tableau central en cas de mauvais fonctionnement. Il suffit de le changer.
d. Quand deux fils électriques se touchent anormalement, il y a un ....
e. Ici, le courant fait 220 ....
f. C'est une lampe de 60 ....
g. Cet appareil a une faible ....
h. Il n'y a plus de courant, il y a une .... dans tout l'immeuble.

189 **Les problèmes.** Voici quelques expressions familières à compléter avec : *noire, problèmes, tracas, pépin, tomber, tuile, coups, trois, mauvaise.*

Exemple : En ce moment, je n'ai que des ***problèmes***.

a. Il m'est arrivé une ....
b. J'ai eu un gros ....
c. Je traverse une .... passe.
d. En ce moment, tout va mal, je n'ai que des ....
e. Comme on dit, jamais deux sans ....
f. En ce moment, c'est la série ....
g. C'est une succession de .... durs.
h. Je me demande ce qu'il va me .... dessus.

190 Remettez les phrases dans l'ordre.

Exemple : j'/de/ai/semaine/./La/dernière/,/plein/problèmes/eu
→ ***La semaine dernière, j'ai eu plein de problèmes.***

a. des/arrivé/que/pépins/./Il/m'est/ne
→ ....
b. suis/une/resté/./Je/coincé/dans/heure/l'/ascenseur/pendant
→ ....
c. tomber/failli/dans/l'/ai/escalier/./J'
→ ....
d. panne/chaudière/est/tombée/il/un/en/où/Ma/froid/jour/très/./faisait
→ ....
e. inondation/./eu/voisine/cause/de/sa/dessus/laver/à/Ma/du/machine/a/une/à
→ ....
f. eu/coup/,/a/de/peinture/il/y/est/et/Du/la/mon/fuite/refaire/à/une/./plafond
→ ....
g. bord/demain/Je/idées/me/mer/de/pars/les/changer/au/la/.
→ ....
h. une/mauvais/J'/,/pressentiment/ai/pense/tuile/qu'/va/m'/il/arriver/./un/je
→ ....

191 Reliez les deux parties de la phrase.

a. Une poutre
b. Une plinthe
c. Un mur
d. Une cloison
e. Une tringle
f. Un crochet
g. Un extincteur
h. Un interrupteur

1. sépare deux pièces.
2. soutient le plafond.
3. permet d'accrocher les rideaux aux fenêtres.
4. permet d'éteindre la lumière.
5. permet d'accrocher quelque chose au mur.
6. sépare deux appartements.
7. permet d'éteindre des flammes.
8. protège le bas d'un mur.

192 **Complétez avec :** *isoler, entretenue, gouttière, bloquée, bancale, grince, moisi, antenne, double vitrage.*

Exemple : La maison de campagne n'a pas été bien ***entretenue***.

a. Je ne peux plus ouvrir la porte du garage, elle est ....
b. Les murs sont pleins d'humidité, ça sent le ....
c. On entend trop de bruit venant de la route, il nous faudrait des fenêtres à ....
d. Il faudrait régler l'.............................. de télévision qui est sur le toit.
e. L'eau de pluie tombe au pied du mur, il faut changer la ....
f. L'armoire est ...., il faut la caler.
g. L'air froid passe partout dans cette maison, il faut l'..............................
h. La porte d'entrée ...., il faudrait mettre de l'huile.

193 **Reliez les mots qui ont le même sens.**

a. en panne →	1. coincé
b. s'écrouler	2. hors service
c. abîmé	3. arranger
d. réparer	4. endommagé
e. mettre en ordre	5. démolir
f. bloqué	6. ranger
g. abattre	7. mouillé
h. trempé	8. s'effondrer

194 ***Des travaux.*** **Complétez avec :** *enlever, faire, poser, agrandir, repeindre, abattre, isoler, insonoriser, refaire.*

Exemple : Nous avons acheté une maison et nous avons fait ***faire*** beaucoup de travaux.

a. Nous avons fait .... une cloison pour agrandir la pièce principale.
b. Nous avons fait .... contre le froid.
c. Nous avons fait .... contre le bruit.
d. Nous avons fait .... du parquet.
e. Nous avons fait .... les murs extérieurs.
f. Nous avons fait .... notre salle de bains qui était trop petite.
g. Nous avons fait .... l'ancien papier peint qui était horrible.
h. Nous avons fait .... l'installation électrique.

195 **Complétez avec :** *grille, repos, fosse, souris, carreau, tuiles, cave, herbes, gouttière.*

Exemple : Une maison de campagne, ce n'est pas de tout ***repos***.

a. Sur le toit, il faut changer les .... que la tempête a emportées.
b. Il faut évacuer l'eau qui a inondé la ....
c. Il faut couper la branche qui est en train d'abîmer la .... du toit.
d. Il faut entretenir la .... septique.
e. La .... en fer est en train de rouiller, il faut la repeindre.
f. Il y a des ...., il faut s'en débarrasser.
g. Il faut remplacer le .... cassé de la fenêtre.
h. Il faut arracher les mauvaises .... dans le jardin.

196 **Complétez avec :** *store, vasistas, store vénitien, vitre, rideau, double vitrage, tringle, double rideau, volets.*

Exemple : C'est un petit panneau vitré : un ***vasistas***.

a. C'est un tissu transparent pour cacher l'intérieur de la pièce : un ....
b. C'est un tissu épais que l'on tire le soir : un ....
c. C'est une toile enroulée pour protéger du soleil : un ....
d. Il est composé de lamelles orientables : un ....
e. C'est une barre pour accrocher les rideaux : une ....
f. Ce sont des panneaux de bois situés à l'extérieur que l'on peut fermer : des ....
g. C'est une plaque de verre posée sur une fenêtre : une ....
h. Ce sont des carreaux doubles qui servent à l'isolation : un ....

197 **Complétez avec :** *tapis, bruyante, poliment, parquet, chaussons, réfléchir, attention, bruit, enlever.*

Exemple : Ma voisine est ***bruyante***.

a. Ma voisine du dessus rentre souvent tard et elle me réveille quand elle marche sur le .... au-dessus de ma tête.
b. Je suis déjà monté la voir pour lui demander de faire ....
c. Elle m'a reçu .... mais elle m'a dit qu'elle était bien obligée de marcher.
d. Je lui ai suggéré d'................................ ses chaussures dès qu'elle arrive chez elle.
e. Ou de mettre des ....
f. Ou de s'acheter un ....
g. Elle m'a répondu qu'elle allait y ....
h. Depuis, elle fait toujours autant de ....

Bilans

198 **Des amis discutent de leurs dernières vacances. Complétez leur conversation avec :** *tuiles, chauffe-eau, panne, vitres, extincteur, robinet, feu, interrupteur, chute, serrure, parquet.*

Michel *On a loué une maison au bord de la mer mais c'était une catastrophe ! Tout était en mauvais état ou en* .... ***(1).***

Juliette *Les* .... ***(2)*** *tombaient du toit. Plusieurs* .... ***(3)*** *aux fenêtres étaient cassées.*

Michel *La* .... ***(4)*** *de la porte d'entrée se bloquait une fois sur deux.*

Juliette *Quand on ouvrait un* .... ***(5)****, il n'y avait presque pas d'eau.*

Michel *On a dû se laver à l'eau froide pendant tout le séjour, le* .... ***(6)*** *refusait obstinément de fonctionner.*

Juliette *Il y avait des trous dans le* .... ***(7)****, on avait toujours peur de faire une* .... ***(8).***

Michel *Et l'installation électrique était vraiment ancienne. Quand j'appuyais sur un* .... ***(9)****, je craignais toujours de provoquer un court-circuit.*

Juliette *Nous avons failli mettre le* .... ***(10)*** *un jour où nous avons voulu utiliser la cuisinière à gaz. Bien entendu, il n'y avait pas d'*................................ ***(11).***

Michel *Mais comme il a fait très beau, on a passé presque tout notre temps dehors et on s'est quand même bien amusés.*

199 **Dans son cabinet, le docteur Schlutz, spécialiste des troubles du langage à Lausanne, s'entretient avec un patient qui utilise parfois un mot pour un autre. Complétez avec le mot correct.**

Le patient *La nuit dernière, j'ai rêvé que je rentrais chez moi mais arrivé devant la porte, impossible de mettre la clé dans la* cassure.

Le docteur *La s................................ **(1)** ?*

Le patient *Oui, docteur, c'est ça. J'ai voulu sonner mais il n'y avait plus d'électricité, plus de* coupon.

Le docteur *De b................................ **(2)** !*

Le patient *À ce moment-là, il y a eu une* bouture *d'électricité dans tout l'immeuble.*

Le docteur *Vous voulez dire une c................................ **(3)**.*

Le patient *Alors je suis ressorti de l'immeuble et j'ai regardé ma fenêtre. Il y avait un* bureau *cassé.*

Le docteur *Un c................................ **(4)**.*

Le patient *J'ai pensé qu'on était rentré chez moi pour me voler, qu'on m'avait* comprimé.

Le docteur *C................................ **(5)** ?*

Le patient *J'ai alors vu que quelqu'un, à l'intérieur, s'approchait de la fenêtre. J'ai pensé qu'il s'agissait d'un des* compresseurs.

Le docteur *C................................ **(6)** !*

Le patient *Et bien, pas du tout ! De la rue, je me voyais moi-même à la fenêtre de chez moi. Alors, je suis remonté par l'escalier. Cette fois, la porte était grande ouverte. Quand je suis arrivé dans le salon, il y avait des flammes. Je suis allé chercher un* exercice *pour éteindre le feu.*

Le docteur *Un e................................ **(7)**.*

Le patient *J'ai éteint les flammes. Et alors mon autre moi-même m'a dit : « nous avons un gros problème ». En fait, il a dit un «* patin *».*

Le docteur *Un p................................ **(8)**.*

Le patient *C'est grave, docteur ?*

Le docteur *On va voir ça...*

VII. LES ÉTUDES

A. Les personnes

200 **Reliez les deux parties de la phrase.**

a. Il donne des cours,
b. Ce garçon va à l'école,
c. Ce jeune va à l'université,
d. Il enseigne,
e. Il fait de la recherche,
f. Il a obtenu son diplôme,
g. Il a réussi le bac,
h. Il fait passer les examens,

1. c'est un élève.
2. c'est un enseignant.
3. il est diplômé.
4. il est examinateur.
5. il est professeur.
6. il est bachelier.
7. c'est un étudiant.
8. il est chercheur.

201 **Complétez avec :** *enseignement, enseignant, ministre, éducation, scolarité, formation, cours, éduqué, ministère.*

Exemple : M. Ramond est un ***enseignant*** expérimenté.

a. Cet enfant se tient très mal à table, il n'a aucune ....
b. La .... est obligatoire jusqu'à 18 ans.
c. Le .... de l'Éducation est venu visiter l'établissement.
d. Ce garçon est très mal ...., il ne sait pas se tenir convenablement.
e. Cet établissement propose un .... de qualité.
f. Les étudiants peuvent suivre des .... d'économie.
g. Le .... de l'Éducation nationale gère l'ensemble des établissements publics.
h. Cette école propose une .... scientifique.

202 **Complétez les adjectifs correspondant aux mots en italique.**

Exemple : On n'*enseigne* pas cette matière ici, elle n'est pas e***nseignée***.

a. Le professeur *exige* beaucoup de ses étudiants, il est e..
b. Michel a une forte *motivation* pour ses études, il est m ....
c. As-tu une bonne *concentration*, es-tu bien c.. ?
d. La *régularité* dans le travail est importante, il faut un travail r.......................................
e. Il *s'organise* bien, il est bien o..
f. Il a reçu une bonne *formation*, il est bien f..
g. Il a passé les examens pour avoir le *diplôme*, il est d ....
h. Il a la *qualification* requise pour ce poste, il est q..

B. LES LIEUX

203 **Reliez ces sigles concernant l'enseignement supérieur à leur signification.**

a. une UFR
b. un IUT
c. HEC
d. l'ENA
e. l'ENS
f. le CNAM
g. un CHU
h. le CROUS

1. l'École des hautes études commerciales
2. l'École nationale d'administration
3. un Institut universitaire de technologie
4. le Centre régional des œuvres universitaires et sociales
5. un Centre hospitalier et universitaire
6. une Unité de formation et de recherche
7. le Conservatoire national des arts et métiers
8. l'École normale supérieure

204 **Complétez avec :** *gymnase, IUT, secrétariat, bibliothèque, campus, amphithéâtre, cantine, foyer, cité.*

Exemple : **Il s'est spécialisé en informatique, il étudie dans un *IUT*.**

a. L'ensemble des bâtiments de l'université et éventuellement les pelouses qui les entourent constituent le ....
b. Le .... est un bâtiment ne comprenant que des chambres d'étudiants.
c. La .... universitaire est une résidence pour étudiants.
d. Les élèves peuvent obtenir des renseignements administratifs au ....
e. Le .... est une salle de sport.
f. À la ...., on sert des repas.
g. Les étudiants peuvent consulter des livres à la ....
h. Un .... est une grande salle de cours avec des gradins.

205 **Cochez l'élément qui convient le mieux.**

Exemple : **C'est un établissement public d'enseignement supérieur.**
1. ☐ **un collège**
2. ☒ **une université**

a. C'est une division de l'université, spécialisée dans une matière.
1. ☐ une faculté
2. ☐ une académie

b. On appelle ainsi une école supérieure accessible par concours.
1. ☐ une classe préparatoire
2. ☐ une Grande école

c. Il y a trois niveaux d'études supérieures, ce sont les trois
1. ☐ cycles
2. ☐ sessions.

d. Cet organisme propose aux étudiants des services pour le logement, la restauration et la vie quotidienne.
1. ☐ l'Académie française
2. ☐ le CROUS

e. C'est une université où l'on étudie la loi.
   1. ☐ le tribunal
   2. ☐ la faculté de droit
f. Cet institut propose des cours de haut niveau ouverts à tous.
   1. ☐ le Collège de France
   2. ☐ la Bibliothèque nationale
g. On désigne ainsi les cours suivis par correspondance.
   1. ☐ l'enseignement à distance
   2. ☐ la coopération
h. Pour étudier dans une Grande école, il faut réussir
   1. ☐ un examen d'entrée
   2. ☐ un concours d'entrée.

206 **Complétez les projets de cet étudiant avec :** *faculté, normale, admis, classe, examens, candidat, réussis, concours, diplôme.*

Exemple : Je voudrais entrer à l'École ***normale*** supérieure.

a. Je vais faire deux années de .... préparatoire.
b. Ensuite, je vais passer le .... d'entrée.
c. Si je ...., je pourrai intégrer l'école.
d. Sinon, j'obtiendrai des équivalences de .... universitaire.
e. J'irai étudier à la .... de Lettres.
f. Je serai .... directement en deuxième cycle.
g. Je passerai mes ....
h. Je pourrai être .... aux concours de recrutement de l'enseignement public, le CAPES ou l'agrégation.

207 **Reliez le nom de ces Grandes écoles et la carrière typique qu'on y prépare.**

a. les Beaux-Arts	1. directeur commercial
b. HEC → 1	2. haut fonctionnaire
c. Sciences Po	3. ingénieur d'entreprise
d. l'ENA	4. patron d'entreprise
e. l'École normale supérieure	5. peintre, architecte
f. Centrale	6. militaire
g. Saint-Cyr	7. journaliste, diplomate
h. Polytechnique	8. professeur d'université

208 **Complétez avec :** *administration, informatique, droit, HEC, Beaux-Arts, Polytechnique, Sciences Po, médecine, normale.*

Exemple : C'est un spécialiste des ordinateurs, il a étudié l'***informatique***.

a. Il veut devenir avocat, il étudie le ....
b. C'est un futur docteur, il va à l'école de ....
c. Elle étudie la peinture, le dessin, elle va aux ....
d. C'est un futur diplomate, il étudie à ....

e. Il sera haut fonctionnaire, il est à l'École nationale d'..........................
f. Il deviendra professeur de haut niveau dans une matière littéraire, il est entré à l'École .... supérieure.
g. Il est directeur commercial d'une grande entreprise, il a fait ....
h. Il est patron d'une très grande entreprise, il sort de ....

209 **Complétez avec :** *bois, médecin, ingénieur, loi, musique, âge, correspondance, art, vente.*

Exemple : **Il veut être *médecin*, il étudie à la faculté de médecine.**

a. Il étudie la .... à la faculté de droit.
b. Il se spécialise en Histoire de l'.........................., il va à l'École du Louvre.
c. Pour apprendre la ...., la danse ou le théâtre, il y a le Conservatoire.
d. Il apprend un métier du .... à l'école Boule.
e. Il veut devenir ...., il va au Conservatoire des arts et métiers.
f. Il apprend les techniques de ...., il va passer un Brevet de technicien supérieur en action commerciale.
g. Il ne peut pas se rendre à l'université, il suit les cours par ....
h. Il est à la retraite, il suit des cours à l'université du troisième ....

210 ***Le langage des étudiants.*** **Cochez l'élément qui convient.**

Exemple : Il va à la fac. **1.** ☐ la facture **2.** ☒ la faculté

a. Il a fait l'X.
1. ☐ un cours interdit aux mineurs
2. ☐ l'École polytechnique

b. On a mangé au restau U.
1. ☐ au restaurant universitaire
2. ☐ au restaurant urbain

c. Le cours a lieu dans le grand amphi.
1. ☐ l'amphithéâtre
2. ☐ l'amphibien

d. J'ai un cours de TD.
1. ☐ Textes et documents
2. ☐ Travaux dirigés

e. J'ai choisi une UV.
1. ☐ Ultra-violette
2. ☐ Unité de valeur

f. Il est en prépa.
1. ☐ Il prépare ses affaires.
2. ☐ Il est en classe préparatoire.

g. Cette épreuve a un gros coef.
1. ☐ un coefficient
2. ☐ un correctif

h. Contre le projet de réforme de l'éducation, on a organisé une manif.
1. ☐ une manifestation
2. ☐ une manufacture

C. LE TRAVAIL

211 **Reliez les éléments qui ont le même sens.**

a. une filière
b. une matière
c. un examen
d. un cours magistral
e. une session
f. un stage
g. une réussite
h. un échec

1. une conférence
2. un cursus
3. une période d'examens
4. une épreuve
5. une discipline
6. un succès
7. un mauvais résultat
8. une formation pratique

212 ***Les cours.*** **Complétez avec :** *groupe, emploi, notes, relire, amphithéâtre, distraire, bibliothèque, magistral, abréviations.*

Exemple : Aujourd'hui, j'ai un ***emploi*** du temps très chargé.

a. J'ai un cours ....
b. Je me rends dans l'..
c. Je prends des ....
d. Pour gagner du temps, j'utilise des ....
e. Ensuite, j'ai un TD, en petit ....
f. J'ai une recherche à faire à la ....
g. Demain, j'ai un devoir en classe, je dois .... mes notes.
h. Je vais me .... un peu avec mes copains.

213 **Reliez chaque expression familière à la phrase de même sens.**

a. Il a séché les cours.
b. Il m'a posé une colle.
c. Il a pompé à l'examen.
d. Il a raté son examen.
e. Il s'est planté.
f. Il a bossé.
g. Il est nul.
h. Il est brouillon.

1. Il m'a posé une question dont j'ignore la réponse.
2. Il a échoué à son examen.
3. Il n'est pas allé à ses cours.
4. Il n'est pas clair.
5. Il a travaillé.
6. Il est mauvais.
7. Il s'est trompé.
8. Il a triché pendant l'examen.

214 ***Les devoirs.*** **Complétez avec :** *conclusion, table, texte, sujets, copie, dissertations, plan, développement, brouillon.*

Exemple : Hier, nous avons eu un devoir sur ***table***.

a. Le professeur nous a donné le choix entre trois ....
b. Il y avait deux ....
c. Il y avait aussi un commentaire de ....
d. J'ai d'abord fait mon ....

e. J'ai écrit une introduction au ....

f. J'ai rédigé le ....

g. J'ai écrit une ....

h. J'ai relu avant de remettre ma ....

215 **Complétez avec le nom correspondant au verbe.**

Exemple : noter → une ***note***

a. introduire → une ....

b. conclure → une ....

c. réviser → une ....

d. analyser → une ....

e. commenter → un ....

f. lire → une ....

g. expliquer → une ....

h. corriger → une ....

216 **Complétez avec :** *continu, devoir, exposé, sujet, plan, dissertation, lecture, rendre, consulté.*

Exemple : Nous avons un ***devoir*** à faire à la maison.

a. C'est une .... sur le thème du bonheur.

b. Nous devons la .... dans quinze jours.

c. La note comptera pour le contrôle ....

d. Je dois aussi faire un .... oral.

e. J'ai déjà choisi le ....

f. J'ai .... la bibliographie.

g. Je vais faire des fiches de ....

h. Je n'ai pas encore trouvé le ....

217 ***Les diplômes.*** **Cochez l'élément qui convient.**

Exemple : Un Diplôme universitaire de technologie est délivré par

1. ☐ le CROUS **2.** ☒ un IUT.

a. Un élève vient de terminer le lycée, il a eu son

1. ☐ bac

2. ☐ bachelier.

b. Il s'est inscrit à la fac. Cet étudiant va passer des examens pour obtenir des

1. ☐ Unités de formation et de recherche

2. ☐ Unités de valeur.

c. En plus des examens finaux, il a

1. ☐ un contrôle continu

2. ☐ des travaux dirigés.

d. Après un an d'études universitaires, il
   1. ☐ obtient le DEUG
   2. ☐ n'obtient aucun diplôme.
e. À la fin de la deuxième année, s'il réussit ses examens, il obtient le
   1. ☐ Diplôme d'études supérieures spécialisées
   2. ☐ Diplôme d'études universitaires générales.
f. À la fin de la troisième année, il obtient
   1. ☐ la licence
   2. ☐ le permis de conduire.
g. À la fin de la quatrième année, il passe la
   1. ☐ maîtrise
   2. ☐ magistrature.
h. Il peut ensuite passer le
   1. ☐ Diplôme d'études universitaires générales
   2. ☐ Diplôme d'études supérieures spécialisées.

218 **Complétez avec :** *modifications, sujet, rend, recherches, directeur, soutenir, plan, mention, mémoire.*

Exemple : Michel a choisi son ***sujet*** de thèse.

a. Il fait des .... en bibliothèque.
b. Il rencontre régulièrement son .... de thèse.
c. Il lui soumet le ....
d. Il doit faire quelques ....
e. Il rédige son ....
f. Il .... son mémoire en septembre.
g. Il va .... sa thèse.
h. Il va obtenir une ....

219 **Remettez les phrases dans l'ordre.**

Exemple : fac/cours/lexicologie/à/Il/donne/de/de/la/Tours/./des
→ ***Il donne des cours de lexicologie à la fac de Tours.***

a. Il/école/à/inscrit/l'/médecine/de/s'est/.
→ ....
b. de/deuxième/à/droit/de/l'/université/en/./est/année/Il/Montpellier
→ ....
c. Il/d'entrée/à/concours/commerciales/./études/des/le/hautes/a/réussi/l'École
→ ....
d. est/lettres/Il/modernes/licencié/en/.
→ ....
e. UV/lui/deux/Il/manque/,/les/doit/./il/en/repasser/septembre/examens
→ ....

f. son/mémoire/fin/la/du/maîtrise/Il/mois/./de/doit/rendre/à

→ ....

g. Il/il/et/bien »/obtenu/sa/la/« très/thèse/soutenu/mention/./a/a

→ ....

h. étudier/d'échanges/./programme/d'un/le/parti/cadre/Il/à/est/dans/Barcelone

→ ....

220 ***Un étudiant de deuxième année discute avec un nouveau.*** **Complétez le dialogue avec :** *campus, inscrire, colocation, dossier, groupe, manif, fête, organiser, bureau.*

Exemple : **Maxime** Salut, ça se passe bien ?
Thomas Oui, je viens de m'***inscrire*** en première année.

a. **Thomas** Heureusement, mon .... était complet.
Maxime Alors, tu es tranquille maintenant.

b. **Thomas** Il faut d'urgence que je trouve une chambre.
Maxime Tu peux aller au .... du CROUS, ils t'aideront à trouver quelque chose.

c. **Thomas** J'aimerais bien trouver une ....
Maxime Jette un œil sur les tableaux d'affichage, il y a des petites annonces.

d. **Maxime** Comment tu trouves le .... ?
Thomas Pour l'instant, je suis encore un peu perdu, mais c'est sympa.

e. **Maxime** Surtout, tu dois apprendre à bien t'.......................... pour ne pas perdre ton temps.

f. **Maxime** N'hésite pas à travailler en .... et à demander des conseils.

g. **Maxime** Il y a une .... ce soir chez des copains à moi, tu n'as qu'à venir, tu rencontreras des gens.
Thomas Oui, d'accord, c'est super.

h. **Thomas** Tu vas à la ...., demain ?
Maxime Bien sûr !

221 **Complétez les mots.**

Exemple : Il veut être m***édecin***, il étudie à la faculté de médecine.

a. Il vient de p.. son examen.
b. Il a eu des difficultés pour l'é.................................... de physique.
c. Maintenant, il attend les r..
d. S'il a r.. , il pourra partir en vacances.
e. S'il a é... , il devra rester.
f. Il devra préparer la s.. de septembre.
g. S'il n'a pas assez de points, il devra refaire une a..........................
h. Il devra peut-être c... d'orientation.

Bilans

222 **Des camarades de lycée ne se sont pas vus depuis plusieurs années. Ils racontent ce qu'ils ont fait après le bac. Complétez leur conversation avec :** *licence, droit, Conservatoire, concours, fac, épreuve, stage, informatique, recrutée, Sciences Po, raté, examens, inscrit, Beaux-Arts.*

Bertrand *Mon père a insisté pour que je devienne avocat, mais je n'avais vraiment pas envie d'aller à la faculté de .... **(1)**. En fait, je suis entré au .... **(2)** et j'ai appris le métier de comédien.*

Cédric *Moi, comme j'aimais les ordinateurs, je me suis inscrit dans une école d'.......................... **(3)**. Mais à la fin de la première année, je me suis rendu compte que je détestais cette matière et j'ai eu envie d'apprendre la sculpture, je me suis inscrit aux .... **(4)**.*

Julie *Tu pourras peut-être dessiner de beaux ordinateurs ! Moi, j'ai toujours eu envie de devenir journaliste, mais j'étais un peu intimidée par .... **(5)**, alors j'ai passé une .... **(6)** de géographie. J'ai effectué mon .... **(7)** pratique dans un magazine de géographie. J'ai appris plein de choses au contact des journalistes et des reporters. Ils m'ont parlé d'un projet concernant une nouvelle émission de documentaires pour une chaîne de télévision. J'ai été .... **(8)** par la société de production et maintenant, je participe régulièrement à des émissions.*

Pierre *Moi, je croyais que j'allais passer le .... **(9)** d'HEC et faire une bonne carrière en entreprise. En fait, j'ai .... **(10)** l'.......................... **(11)** d'économie. Mais je ne me suis pas découragé. Je me suis .... **(12)** dans une .... **(13)** d'études commerciales. J'ai passé mes .... **(14)** et je suis parti à l'étranger. Je me suis perfectionné en langues et j'ai rencontré des tas de gens intéressants. Au Vietnam, j'ai eu l'occasion de créer une petite entreprise pharmaceutique.*

Cédric *Bon, maintenant, on ne va pas encore rester dix ans sans se voir. On va échanger nos adresses e-mail et on restera en contact !*

223 **Dans son cabinet, le docteur Schlutz, spécialiste des troubles du langage à Lausanne, s'entretient avec un patient qui utilise parfois un mot pour un autre. Complétez avec le mot correct.**

Le patient *Savez-vous que moi aussi, je suis docteur, j'ai étudié à la* facilité *de médecine de Genève.*

Le docteur *La f.......................... **(1)** ?*

Le patient *Oui, docteur, absolument. J'ai réussi tous mes* excipients *finaux.*

Le docteur *Vos e.......................... **(2)**.*

Le patient *C'est ça. Je suis même devenu professeur, j'ai* encollé *plusieurs années à l'école de médecine.*

Le docteur *Vous avez e.......................... **(3)**.*

Le patient *Oui, tout le monde me connaissait sur le* camping *de l'université.*

Le docteur *Le c.......................... **(4)**.*

Le patient *Oui, mais j'ai voulu changer de vie. J'ai voulu m'*écrire *dans une université de philosophie.*

Le docteur *Vous i.......................... **(5)** ?*

Le patient *Oui, docteur. Mais on m'a dit que mon* osier *n'était pas complet.*

Le docteur *Votre d.......................... **(6)**.*

Le patient *Absolument. Cela ne m'a plus plu. J'ai décidé d'apprendre la chimie. J'ai fait un* étage *pratique dans une usine.*

Le docteur *Un s.......................... **(7)**.*

Le patient *Oui, je me suis bien amusé. J'ai tout fait exploser. Ils m'ont dit que je n'étais pas bon, que j'étais* lune.

Le docteur *N.......................... **(8)** !*

Le patient *Vous savez, j'ai inventé toute cette histoire. C'est grave, docteur ?*

Le docteur *On va voir ça...*

VIII. L'ACTUALITÉ

A. LES ACCIDENTS

224 **Rayez ce qui ne convient pas.**

Exemple : Un accident de la circulation vient d'avoir ~~occasion~~/*lieu*.

a. Nous avons assisté à un *incident/accident* sans gravité.
b. Nous avons assisté à un grave *incident/accident*.
c. Un événement très important vient de *se produire/arriver*.
d. Tout le monde se demande ce qui s'est *arrivé/passé*.
e. Un drame a *passé/eu lieu*.
f. Nous voulons savoir ce qui est *arrivé/passé*.
g. Il y a *eu/eu lieu* un accident sur l'autoroute.
h. Il n'y a que des blessés légers, ce n'est pas trop *sérieux/grave*.

225 **Complétez avec :** *pris, causé, produit, arrivé, lieu, déclaré, brûlé, eu, passé.*

Exemple : Un camion a ***causé*** un accident.

a. L'accident a eu .... ce matin.
b. Il s'est .... sur l'autoroute.
c. Il y a .... une collision entre un camion et une voiture.
d. Cet accident est .... à cause du brouillard.
e. Un témoin a vu tout ce qui s'est ....
f. La voiture a .... feu.
g. Le feu s'est .... dans le moteur.
h. La voiture a entièrement ....

226 ***Un accident.*** **Complétez avec :** *percuté, lieu, bloqué, collision, quitter, déraillé, freiner, victime, coupé.*

Exemple : **Un grave accident a eu *lieu* à un passage à niveau.**

a. Une .... s'est produite hier soir entre un train et un camion.
b. Le camion était .... sur un passage à niveau.
c. Le train n'a pas pu ....
d. Il a .... le camion à pleine vitesse.
e. Heureusement, il n'y a eu aucune ....
f. Le chauffeur du camion avait réussi à .... sa cabine.
g. Le camion a été .... en deux.
h. Heureusement, le train n'a pas ....

227 ***Un accident de voiture.*** **Complétez avec :** *inverse, lieu, gendarmes, contresens, amende, heurter, taux, permis, alcootest.*

Exemple : Un grave accident vient d'avoir ***lieu***.

a. Une voiture roulait à .... sur l'autoroute.
b. Par miracle, les automobilistes venant en sens .... ont réussi à l'éviter.
c. Le véhicule a fini par .... la glissière de sécurité et s'est immobilisé.
d. Les .... sont vite arrivés sur les lieux.
e. Ils ont fait subir un .... au chauffard, un homme d'une cinquantaine d'années.
f. Il roulait avec un .... de 1,5 g d'alcool dans le sang, soit trois fois plus que le maximum autorisé.
g. On lui a confisqué son .... de conduire.
h. Il risque une forte .... et même une peine d'emprisonnement.

228 **Reliez les éléments.**

a. une ceinture	1. au rouge
b. un permis	2. de sécurité
c. passer	3. un stop
d. griller ⟶	4. un virage
e. laisser	5. trop vite
f. le taux	6. la priorité
g. rouler	7. de conduire
h. manquer	8. d'alcoolémie

229 ***Un incendie.*** **Complétez avec :** *appelé, déclaré, asphyxiés, connaître, transportées, éteindre, brûlé, propagées, relogées.*

Exemple : Un incendie s'est ***déclaré*** en pleine nuit au 4e étage d'un immeuble du 20e arrondissement.

a. Les flammes se sont .... très rapidement.
b. Des occupants de l'immeuble ont été .... par la fumée.
c. Des voisins ont .... les pompiers.
d. Les deux étages supérieurs ont complètement ....
e. Les pompiers ont réussi à .... l'incendie.
f. Une enquête devrait permettre de .... la cause.
g. Une vingtaine de personnes devront être ....
h. Trois personnes ont été .... d'urgence à l'hôpital.

230 Reliez les deux parties de la phrase.

a. Un train
b. Un avion
c. Une usine chimique
d. Un bateau
e. Un immeuble
f. Une voiture
g. Deux trains
h. Un piéton

1. se sont percutés.
2. a déraillé.
3. s'est effondré.
4. a explosé.
5. a été renversé.
6. a percuté un arbre
7. a coulé.
8. s'est écrasé.

231 Complétez avec le verbe correspondant au nom.

Exemple : un déraillement → ***dérailler***

a. une noyade → se ....
b. un suicide → se ....
c. une chute → ....
d. un secours → ....
e. une brûlure → se ....
f. un effondrement → s'.....................................
g. une explosion → ....
h. une pollution → ....

232 Complétez avec : *renversée, tuée, brûlée, noyée, emportée, morte, empoisonnée, blessée, perdue.*

Exemple : Une femme de 55 ans s'est ***tuée*** en tombant accidentellement du 5ᵉ étage.

a. Elle est tombée dans l'eau, elle ne savait pas nager, elle s'est ....
b. Il y a eu un incendie chez elle, elle est gravement ....
c. Le plafond s'est effondré mais elle n'est que légèrement ....
d. Elle s'est retrouvée toute seule dans la montagne, elle s'est .... On l'a retrouvée morte de froid.
e. Une voiture l'a heurtée, elle a été .... Elle est gravement blessée.
f. Elle a été écrasée par une voiture. Elle est .... sur le coup.
g. Une famille entière s'est .... en mangeant des champignons non comestibles.
h. Une skieuse a été .... par une avalanche.

233 *Une marée noire.* Complétez avec : *nettoyer, naufrage, répandu, ouverte, coulé, pompe, échoué, espère, atteint.*

Exemple : Un pétrolier a fait ***naufrage***.

a. Le bateau s'est .... sur un récif.
b. Une brèche s'est .... dans la coque.
c. Le pétrole s'est .... dans la mer.
d. La nappe de pétrole .... désormais les côtes.

e. Il va falloir .... les plages polluées.
f. Le bateau a .... et repose par 300 mètres de fond.
g. On .... le pétrole restant dans l'épave.
h. On .... qu'avec les pétroliers à double coque, ce type de catastrophe écologique ne se reproduira plus.

234 **Reliez les mots qui ont le même sens.**

a. un bateau
b. un avion
c. une voiture
d. un vélo
e. un immeuble
f. un incendie
g. un automobiliste
h. un danger

1. un conducteur
2. un navire
3. un bâtiment
4. une automobile
5. un risque
6. un feu
7. une bicyclette
8. un appareil

235 **Complétez avec :** *bilan, aérienne, feu, corps, écrasé, appareil, boîte, enquête, rescapés.*

Exemple : Une catastrophe ***aérienne*** vient de se produire.

a. Un moteur a pris .... au décollage.
b. L'... a piqué vers le sol.
c. Il s'est .... sur des immeubles voisins de l'aéroport.
d. Le .... est extrêmement lourd.
e. On exclut la possibilité de retrouver des ....
f. On est actuellement à la recherche de la .... noire.
g. L'...................... devra déterminer les causes de ce drame.
h. Il faudra identifier les .... des victimes.

236 **Notez (=) si les deux mots ont le même sens, sinon notez (≠).**

Exemple : un accident – un incident ***(≠)***

a. un automobiliste – un conducteur ( )
b. un chauffard – un chauffeur ( )
c. un survivant – un rescapé ( )
d. un corps – un cadavre ( )
e. s'écraser – s'effondrer ( )
f. tomber – chuter ( )
g. se noyer – nager ( )
h. en sens inverse – dans le même sens ( )

237 **Cochez la phrase décrivant la situation la plus grave.**

Exemple : **1.** ☐ Il est blessé. **2.** ☒ Il est décédé.

a. **1.** ☐ Un piéton a été renversé. **2.** ☐ Un piéton a été écrasé.
b. **1.** ☐ C'était un incident. **2.** ☐ C'était un accident.
c. **1.** ☐ Le véhicule est endommagé. **2.** ☐ Le véhicule est broyé.

d. **1.** ☐ Nous avons eu une collision. **2.** ☐ Nous avons eu un accrochage.
e. **1.** ☐ Il n'y a pas de victime. **2.** ☐ Il n'y a pas de rescapé.
f. **1.** ☐ Il est dans le coma. **2.** ☐ Il est sain et sauf.
g. **1.** ☐ Le véhicule est calciné. **2.** ☐ Le véhicule est en bon état.
h. **1.** ☐ Il s'en est tiré sans une égratignure. **2.** ☐ Il a succombé à ses blessures.

B. Les délits

238 ***Un attentat ou une tentative d'attentat.*** **Complétez avec :** *piégé, attentats, interpellé, colis, revendiqué, suicide, alerte, manqué, démineurs.*

Exemple : Les **attentats** se multiplient en ce moment.

a. L'aérogare a dû être évacuée à la suite d'une .... à la bombe.
b. Le trafic du métro a été interrompu en raison d'un .... suspect abandonné sur un quai.
c. On a appelé les .... pour neutraliser un objet suspect.
d. Un individu a été .... par les gendarmes, il était en possession d'une bombe artisanale.
e. Un colis .... a explosé, il n'a fait aucune victime.
f. L'attentat contre la poste a été .... par un groupe indépendantiste.
g. Un attentat .... a failli détruire un magasin.
h. Un attentat .... a encore fait de nombreuses victimes.

239 **Complétez ce récit avec :** *dérobé, braquage, menacé, fuite, ligoté, butin, armés, conduits, pris.*

Exemple : ***Braquage*** dans une banque du centre-ville.

a. Deux hommes .... ont pénétré dans une agence de la Banque commerciale.
b. Ils ont .... le personnel avec leurs armes.
c. Ils ont demandé à être .... aux coffres.
d. Ils en ont .... le contenu.
e. Ils ont .... tout le monde.
f. Ils ont .... un otage et sont sortis de la banque.
g. Les deux malfaiteurs ont pris la ....
h. Le montant du .... est estimé à 10 millions d'euros.

240 **Complétez ce récit avec :** *reçu, drame, actes, autopsie, tiré, circonstances, tué, présumé, armes.*

Exemple : ***Drame*** durant une soirée entre amis.

a. On vient de trouver le cadavre d'un agriculteur .... lundi soir.
b. Il a .... un coup de carabine en pleine tête.
c. C'est un ami de longue date qui lui a .... dessus à bout portant.
d. Les deux hommes avaient beaucoup bu. Le meurtrier .... est actuellement entendu par la police.

e. Il faudra déterminer les .... exactes de la mort.
f. Les deux hommes étaient des chasseurs et avaient donc l'habitude de manipuler des ....
g. On pense qu'ils se sont disputés et, sous l'effet de l'alcool, l'un des deux hommes aurait perdu le contrôle de ses ....
h. Le juge a demandé une ....

241 **Complétez ce récit avec :** *ravisseurs, échoue, soupçonnés, rançon, différend, introduit, emparé, ligoté, complice.*

Exemple : Un enlèvement ***échoue***.

a. Un homme portant une cagoule et des gants s'est .... dans le pavillon familial après le départ des parents.
b. Il a .... la grand-mère qui gardait le bébé.
c. Il s'est .... de l'enfant.
d. Les .... ont appelé les parents.
e. Ils ont exigé une ....
f. Mais le lendemain, les gendarmes ont retrouvé le bébé chez un ....
g. La police interroge actuellement les individus .... d'avoir participé au rapt.
h. Selon la police, il pourrait s'agir d'« un .... familial sordide ».

242 **Complétez ce récit avec :** *attrapé, subi, porter, enfui, agressée, décrire, crié, retrouver, approché.*

Exemple : Une jeune femme a ***subi*** une agression.

a. Elle a été .... en pleine rue.
b. Un motocycliste s'est .... d'elle.
c. Il a .... son sac à main.
d. Il s'est .... avec le sac.
e. La jeune femme a d'abord eu très peur et elle a ....
f. On lui a conseillé de se rendre au commissariat pour .... plainte.
g. La police lui a demandé de .... son agresseur.
h. Selon la police, il y a très peu de chance de le ....

243 **Rayez l'intrus.**

Exemple : un truand – ~~une cagoule~~ – un bandit – un escroc

a. un vol – un témoignage – un hold-up – un braquage
b. un butin – un bulletin – un gain – un montant
c. arrêter – appréhender – fuir – interpeller
d. voler – dérober – déballer – dévaliser
e. ligoter – attacher – ficeler – quereller

f. un kidnapping – un enlèvement – un corps – un rapt
g. un crime – un meurtre – un assassinat – un témoin
h. écrouer – fouiller – mettre en prison – incarcérer

244 **Complétez avec le nom qui convient.**

Exemple : assassiner → un ***assassinat***

a. voler → un ....
b. enlever → un ....
c. menacer → une ....
d. agresser → une ....
e. témoigner → un ....
f. arrêter → une ....
g. fuir → une ....
h. s'évader → une ....

245 **Notez oui (O) s'il s'agit d'une personne qui fait respecter la loi ou non (N) si c'est le contraire.**

Exemple : un malfaiteur ***(N)***

a. un douanier ( )
b. un voyou ( )
c. un délinquant ( )
d. un assassin ( )
e. un enquêteur ( )
f. un commissaire ( )
g. un complice ( )
h. un juge ( )

246 **Complétez avec la personne qui réalise l'action.**

Exemple : tuer → un ***tueur***

a. voler → un ....
b. assassiner → un ....
c. tirer → un ....
d. agresser → un ....
e. faire le mal → un ....
f. témoigner → un ....
g. enquêter → un ....
h. juger → un ....

247 **Reliez chaque phrase à la personne qui correspond le mieux.**

a. « Vous avez quelque chose à déclarer ? »
b. « Où étiez-vous le lundi 3 novembre à 23 h 35 ? »
c. « Personne ne bouge, nous sommes armés ! »
d. « Au nom de la loi, arrêtez ou je tire ! »
e. « Vous êtes condamné à un an de prison. » → 7
f. « Il était grand, blond, avec un manteau jaune. »
g. « Tout s'est passé très vite,
il m'a menacé avec son arme. »
h. « Une dramatique prise d'ôtages vient de prendre fin. »

1. un bandit
2. un témoin
3. un douanier
4. un journaliste
5. un policier
6. un enquêteur
7. un juge
8. une victime

248 **Lisez ce récit puis cochez la réponse qui convient.**

Un cambriolage audacieux

Dans le nord de la France, un commissariat du centre-ville a été cambriolé. Les voleurs ont forcé la porte de derrière pendant la nuit. Ils ont emporté une somme en espèces, des armes et de la drogue (de l'herbe et de la résine de cannabis), qui avaient été saisies à l'occasion de l'arrestation de malfaiteurs. Une partie des armes a été retrouvée par la police. Plusieurs personnes, soupçonnées d'avoir participé au cambriolage, sont actuellement interrogées par les enquêteurs.

Exemple : Ce fait-divers s'est passé dans
1. ☐ le centre de la France
2. ☒ le nord de la France.

a. Il s'agit d'
1. ☐ un vol
2. ☐ un meurtre.

b. Le butin est constitué
1. ☐ uniquement d'argent
2. ☐ en partie d'argent.

c. Le délit a eu lieu
1. ☐ dans une ferme
2. ☐ dans un poste de police.

d. Il s'agit d'un cambriolage
1. ☐ banal
2. ☐ inhabituel.

e. Les objets volés
1. ☐ appartenaient personnellement aux policiers
2. ☐ avaient été confisqués à des délinquants.

f. Les cambrioleurs sont entrés
   1. ☐ en fracturant la porte
   2. ☐ en ouvrant normalement la porte.
g. On cherche encore
   1. ☐ une partie des armes dérobées
   2. ☐ les armes dérobées.
h. Les coupables
   1. ☐ ont été identifiés
   2. ☐ ont peut-être été identifiés.

249 Reliez les deux parties de la phrase.

a. Un pyromane a incendié
b. Des pirates de l'air ont détourné
c. La police a démantelé
d. Une jeune fille nommée Agathe
e. On vient d'arrêter un revendeur de drogue
f. Un retraité a été violemment
g. La police interroge un jeune homme → 4
h. Un chef d'entreprise a été mis en examen

1. a disparu depuis trois jours.
2. pour corruption active.
3. un avion.
4. accusé de racket dans son lycée.
5. agressé par deux jeunes voyous.
6. 60 hectares de forêt.
7. un réseau de trafic de drogue.
8. en flagrant délit.

250 Notez (=) si les deux mots ont le même sens, sinon notez (≠).

Exemple : un délit – un crime *(≠)*

a. forcer – fracturer ( )
b. un délinquant – un malfaiteur ( )
c. un meurtre – un crime ( )
d. un homicide – un suicide ( )
e. un coupable – un témoin ( )
f. voler – dérober ( )
g. une preuve – un alibi ( )
h. des soupçons – des aveux ( )

251 Reliez chaque élément à l'expression familière de même sens.

a. tuer
b. le policier
c. voler
d. passer au rouge
e. le fusil
f. l'argent
g. la prison
h. s'évader

1. griller un feu
2. piquer
3. descendre
4. le fric
5. le flic
6. la taule
7. se faire la belle
8. le flingue

252 Complétez avec le verbe correspondant au nom.

Exemple : une condamnation → ***condamner***

a. une interpellation → ....
b. une arrestation → ....
c. une accusation → ....
d. une preuve → ....
e. un emprisonnement → ....
f. un aveu → ....
g. une fouille → ....
h. un témoignage → ....

253 Reliez les éléments de sens contraire.

a. légal
b. autorisé
c. innocent
d. libre
e. libérer
f. une peine ferme
g. condamner
h. avouer

1. prisonnier
2. illégal
3. emprisonner
4. nier
5. une peine avec sursis
6. coupable
7. interdit
8. acquitter

254 Complétez le récit de ce procès avec : *avocat, tribunal, procureur, Cour, accusé, juré, culpabilité, acquitté, jury.*

Exemple : Le procès se déroule au ***tribunal*** de Lyon.

a. La .... arrive et le procès peut commencer.
b. L'............................ répond aux questions du juge.
c. L'............................ plaide non coupable.
d. Le .... propose une peine ferme ou avec sursis.
e. Le .... délibère.

f. Un .... lit le verdict.
g. La .... n'a pas pu être prouvée.
h. L'accusé est .... et peut sortir libre du tribunal.

255 Complétez avec le nom correspondant au verbe.

Exemple : témoigner → un ***témoignage***

a. juger → un ....
b. condamner → une ....
c. défendre → une ....
d. accuser → une ....
e. déclarer → une ....
f. affirmer → une ....
g. délibérer → une ....
h. inculper → une ....

256 Reliez les deux parties de l'expression.

a. un tueur	1. de mort
b. une tentative	2. en série
c. un coup	3. à perpétuité
d. avoir	4. un alibi
e. faire	5. délit
f. la réclusion	6. appel
g. la peine	7. de meurtre
h. un flagrant	8. de feu

257 *Autour du mot « coup ».* Complétez avec : *fusil, bêtises, responsable, couteau, poing, État, blessures, choc, morte.*

Exemple : Cet enfant n'arrête pas de faire des ***bêtises***, il fait les quatre cents coups.

a. Il lui a donné un coup de .... sur le nez.
b. Il est mort d'un coup de .... dans le ventre.
c. Il a tiré un coup de .... en l'air.
d. La victime est décédée immédiatement, elle est .... sur le coup.
e. Il est inculpé pour coups et ....
f. On ne sait pas encore qui est ...., qui a fait le coup.
g. La nouvelle nous a fait un coup, nous sommes encore sous le ....
h. Les opposants au régime ont organisé un coup d'............................

C. Mouvements sociaux et conflits

258 **Complétez avec :** *force, porte-parole, blocage, barrage, grève, conditions, mouvement, noire, interlocuteurs.*

Exemple : Encore une journée ***noire*** sur les routes du pays.

a. Les routiers ont organisé un .... sur les routes principales.
b. Ils protestent parce qu'ils ont de mauvaises .... de travail.
c. Leur .... a rencontré ce matin le ministre des Transports.
d. Les divers .... ne sont pas parvenus à un accord.
e. Le gouvernement menace de faire intervenir la .... publique.
f. Les conducteurs de train sont solidaires et soutiennent le .... des routiers.
g. Ils pourraient décider une .... dans les prochaines heures.
h. Les chefs d'entreprise craignent un .... de leur activité.

259 **Complétez avec le nom correspondant au verbe.**

Exemple : bloquer → un ***blocage***

a. protester → une ....
b. manifester → une ....
c. intervenir → une ....
d. menacer → une ....
e. rencontrer → une ....
f. soutenir → un ....
g. risquer → un ....
h. craindre → une ....

260 ***Une manifestation.*** **Complétez avec :** *cortège, rue, ordre, slogans, manifestants, syndicats, manifestation, dispersée, défilé.*

Exemple : Des milliers de fonctionnaires étaient dans la ***rue***.

a. Il y a eu une .... dans les principales villes.
b. Elle était organisée par les .... des transports.
c. Les .... protestaient contre le projet du gouvernement sur la réforme des retraites.
d. Le .... s'est rassemblé place de la République.
e. Les .... et les banderoles exprimaient un net refus du projet du Premier ministre.
f. Les manifestants ont .... dans le calme.
g. Le service d'............................. a été efficace.
h. La manifestation s'est .... place de la Bastille.

261 **Complétez avec le nom de la personne qui correspond.**

Exemple : une représentation → un ***représentant***

a. une grève → un ....
b. une manifestation → un ....
c. un syndicat → un ....

d. une organisation → un ....
e. une participation → un ....
f. une délégation → un ....
g. une responsabilité → un ....
h. une opposition → un ....

262 Reliez les éléments de sens contraire.

a. un accord
b. un soutien
c. un arrêt
d. craindre
e. accepter
f. se rassembler
g. être pour
h. attaquer

1. être contre
2. un désaccord
3. refuser
4. une reprise
5. défendre
6. se disperser
7. espérer
8. une opposition

263 Complétez avec le verbe correspondant au nom.

Exemple : un combat → ***combattre***

a. un soutien → ....
b. une crainte → ....
c. une protection → ....
d. une lutte → ....
e. une critique → ....
f. une défense → ....
g. une revendication → ....
h. une dénonciation → ....

264 Complétez avec : *bataille, éclaté, feu, déclarée, paix, combats, bombardements, attaques, civiles.*

Exemple : Après une période de crise, la guerre a finalement ***éclaté***.

a. La guerre vient d'être officiellement ....
b. De violents .... ont commencé.
c. Les .... aériennes ont lieu principalement la nuit.
d. Les .... provoquent de très importants dégâts.
e. La .... s'est enfin terminée.
f. On est en train d'établir le bilan des victimes, militaires mais aussi ....
g. On a instauré le cessez-le-...........................
h. On espère la signature d'un traité de ....

Bilans

265 **Des amis discutent. Complétez leur conversation avec :** *emprisonnés, taux, écrasé, arrêter, fuite, attentat, chute, assassiné, permis.*

Michel *J'ai vu un truc incroyable dans le journal. Un chauffard s'est fait .... **(1)** par la police. Il avait un .... **(2)** d'alcoolémie très élevé. Sa voiture n'était pas assurée. Il conduisait sans .... **(3)**. Et la veille, il avait provoqué un accident mortel à la suite duquel il avait pris la .... **(4)**.*

Juliette *Des gens comme ça devraient être .... **(5)** à vie.*

Michel *En fait, il faut que les gens se rendent compte que conduire, c'est une vraie responsabilité.*

Juliette *Avec tout ça, je ne vais plus oser sortir de chez moi.*

Michel *Et même chez soi, on peut être victime d'un accident. Vous vous rappelez cet avion qui s'est .... **(6)** sur un hôtel ?*

Bernard *En fait, il faut relativiser le danger. Mais c'est vrai qu'on peut aussi se faire très mal à cause d'une simple .... **(7)** dans un escalier.*

Juliette *Oui, ou mourir dans un .... **(8)** à la bombe. Ou encore être .... **(9)** dans un bois.*

Bernard *C'est le destin. On n'y peut rien !*

266 **Dans son cabinet, le docteur Schlutz, spécialiste des troubles du langage à Lausanne, s'entretient avec un patient qui utilise parfois un mot pour un autre. Complétez avec le mot correct.**

Le patient *Je n'ose plus prendre ma voiture, j'ai toujours peur d'avoir un accident. D'ailleurs, je ne prends plus l'avion, j'ai peur qu'il* se creuse.

Le docteur *Qu'il s'é............................ **(1)** ?*

Le patient *Oui, docteur, c'est ça. Et un bateau, ça peut* tomber.

Le docteur *C............................ **(2)** !*

Le patient *Et sans parler des risques de se* bloquer *à la piscine.*

Le docteur *Vous voulez dire se n............................ **(3)**.*

Le patient *Ou de se faire* remporter *dans la rue par une voiture.*

Le docteur *Se faire r............................ **(4)**.*

Le patient *Et tous ces gens qui disparaissent ! Ils ont dû recevoir un* clou *de fusil.*

Le docteur *Un c............................ **(5)** de fusil ?*

Le patient *On peut aussi se faire* frotter *son portefeuille dans le métro.*

Le docteur *V............................ **(6)** !*

Le patient *Je trouve que la justice devrait être plus sévère. Il faudrait* contaminer *les responsables de délit à des peines plus longues.*

Le docteur *C............................ **(7)**.*

Le patient *Et interdire toutes ces* maternités *dans les rues pour protester contre ceci ou cela.*

Le docteur *Les m............................ **(8)**.*

Le patient *Vous savez où je me sentirais le plus à l'abri du danger ?*

Le docteur *Non.*

Le patient *En prison ! C'est grave, docteur ?*

Le docteur *On va voir ça...*

IX. LES MÉDIAS

A. LA PRESSE ÉCRITE

267 ***La fréquence de parution.*** **Cochez l'élément qui convient.**

Exemple : Une revue semestrielle paraît ☒ tous les six mois ☐ tous les trois mois.

a. Un quotidien paraît ☐ chaque semaine ☐ chaque jour.
b. Un hebdomadaire sort ☐ chaque semaine ☐ chaque mois.
c. Un mensuel est publié ☐ deux fois par mois ☐ une fois par mois.
d. Un bimensuel paraît ☐ tous les deux mois ☐ deux fois par mois.
e. Un bimestriel est édité ☐ tous les deux mois ☐ toutes les deux semaines.
f. Une revue annuelle sort ☐ tous les dix ans ☐ une fois par an.
g. Un journal est généralement ☐ un quotidien ☐ un mensuel.
h. Un magazine est généralement ☐ un quotidien ☐ un hebdomadaire ou un mensuel.

268 **Rayez ce qui ne convient pas.**

Exemple : C'est écrit dans le ~~*journaux*~~/*journal*.

a. Il va au kiosque pour acheter un *magasin/magazine*.
b. On lit la presse pour avoir des *renseignements/informations*.
c. Une revue est généralement *plus/moins* spécialisée qu'un magazine.
d. Les articles sont parfois complétés par des *illustrations/illustrés*.
e. Il peut y avoir des photos en *blanc et noir/noir et blanc* ou en couleurs.
f. Les articles sont imprimés sur plusieurs *colons/colonnes*.
g. Les principaux titres de l'actualité apparaissent à la *première/une*.
h. Pour recevoir le journal ou le magazine chez soi à chaque parution, on peut *s'abonner/s'inscrire*.

269 ***L'aspect d'un journal.*** **Complétez avec :** *tirage, titre, national, format, sommaire, informations, articles, supplément, quotidien.*

Exemple : *Le Monde* est le ***titre*** d'un journal.

a. C'est un journal de .... moyen.
b. Son .... est d'environ 500 000 exemplaires.
c. Il paraît chaque jour, c'est un ....
d. Il est diffusé dans l'ensemble du pays, c'est un journal ....
e. Chaque jour, il propose un cahier séparé sur un thème précis, c'est un ....

f. Sur la première page, la une, le .... indique les principales rubriques et le numéro de page correspondant.
g. Les .... sont illustrés par des photos et des dessins humoristiques.
h. Les .... internationales occupent une large part.

270 Reliez les mots et leur sens.

a. la une
b. une rubrique
c. un article
d. un chapeau
e. un éditorial
f. un fait-divers
g. la météo → 8
h. une petite annonce

1. un bref résumé avant l'article
2. le récit d'un événement (un accident, un meurtre, etc.)
3. un court article signé par le rédacteur en chef
4. la première page
5. un petit texte pour demander ou proposer un emploi, un appartement, etc.
6. un texte écrit par un journaliste
7. chaque section thématique
8. les prévisions pour le temps

271 *Les personnes qui font un journal.* Complétez avec : *correspondant, lecteur, directeur, journaliste, photographe, rédacteur, imprimeur, correcteur, envoyé.*

Exemple : Il prend des photos pour le journal : le ***photographe***.

a. Il dirige le journal : le ....
b. Il est responsable du contenu du journal : le .... en chef.
c. Il écrit dans le journal : le ....
d. Il est installé dans un pays étranger pour informer le journal : le .... permanent.
e. Il part sur place pour couvrir un événement : l'................................ spécial.
f. Il vérifie s'il n'y a pas de fautes : le ....
g. Il imprime le journal : l'................................
h. Il lit le journal : le ....

272 Trouvez le verbe correspondant à chaque métier.

Exemple : le directeur → ***diriger***

a. le rédacteur → ....
b. le photographe → ....
c. le dessinateur → ....
d. le commentateur → ....
e. le critique → ....
f. le correcteur → ....
g. l'imprimeur → ....
h. le lecteur → ....

273 **Reliez les phrases et les rubriques du journal.**

a. « Trois buts à zéro. »
b. « L'ONU remet son rapport. »
c. « Un déraillement ne fait aucune victime. »
d. « Journée ensoleillée sur la moitié sud. »
e. « Une grève des transports paralyse le pays. »
f. « C'est indiscutablement le livre de la rentrée. » → 7
g. « N'écrivez pas n'importe quoi ! »
h. « M. et Mme Verdier ont la joie d'annoncer la naissance de Julie. »

1. météo
2. faits-divers
3. international
4. carnet
5. sports
6. courrier des lecteurs
7. culture
8. société

274 ***Les rubriques d'un journal.*** **Complétez avec :** *dessin, économie, horoscope, spectacles, financières, faits-divers, société, météo, carnet.*

Exemple : Je m'intéresse à la vie des entreprises, je lis la rubrique ***« économie »***.

a. Je veux connaître les résultats de la Bourse, je consulte les pages ....
b. J'ai entendu parler d'un grave accident de la route, je peux lire les détails dans la rubrique « .... ».
c. Je souhaite m'informer sur les dernières décisions du gouvernement, je vais à la rubrique « .... ».
d. Une de mes connaissances va se marier, je consulte le ....
e. Quel temps va-t-il faire ? Je regarde le bulletin ....
f. L'actualité peut aussi être traitée avec humour, je regarde le .... humoristique.
g. Quels sont les nouveaux films ? Je lis les pages sur les ....
h. Je suis du signe du poisson ; pour savoir si je vais passer une bonne journée, je consulte mon ....

275 ***L'élaboration d'un journal.*** **Complétez avec :** *bouclé, agences, dépêches, articles, sortir, tri, envoyer, conférence, documentation.*

Exemple : Les **agences** de presse obtiennent des informations.

a. Elles envoient des .... aux journaux.
b. Les journalistes font le .... et choisissent certaines informations.
c. Les journalistes se réunissent en .... de rédaction.
d. Pour certains événements, la rédaction décide d'.............................. des journalistes sur place.
e. Le service de .... fournit les documents demandés par les journalistes.
f. Les journalistes rédigent leurs ....
g. Tout doit être .... à l'heure prévue pour pouvoir imprimer le journal dans les temps.
h. Le journal peut alors .... à l'heure habituelle.

276 Reliez les abréviations ou expressions familières aux explications correspondantes.

a. la une → 4
b. l'édito
c. la couv
d. la nécro
e. un canard
f. une coquille
g. un papier
h. une info

1. la rubrique des avis de décès
2. une faute d'impression
3. un journal
4. la première page
5. une information
6. la couverture d'un magazine
7. l'éditorial
8. un article

277 Cochez l'élément qui a le même sens.

Exemple : Le journal a couvert cet événement.
1. ☒ Il a relaté l'événement. **2.** ☐ Il a caché l'événement.

a. C'est un journal objectif.
1. ☐ Il est engagé.
2. ☐ Il est neutre.

b. C'est un journal local.
1. ☐ Il est régional
2. ☐ Il est national.

c. C'est un journal indépendant.
1. ☐ Il est autonome.
2. ☐ C'est un organe officiel.

d. Cet article est impertinent.
1. ☐ Il est complaisant.
2. ☐ Il est satirique.

e. C'est un journal d'information.
1. ☐ Il présente les faits de façon subjective.
2. ☐ Il présente les faits de façon objective.

f. C'est un journal d'opinion.
1. ☐ Il relate l'opinion des stars.
2. ☐ Il exprime des idées politiques.

g. C'est un journal à scandale.
1. ☐ Il contient des photos osées.
2. ☐ Il contient des articles sur la vie privée des personnalités.

h. C'est une revue professionnelle.
1. ☐ Elle s'adresse aux professeurs.
2. ☐ Elle s'adresse à une profession spécifique.

278 **Complétez avec le nom correspondant au verbe.**

Exemple : traiter → le ***traitement***

a. paraître → la ....

b. éditer → l'...

c. publier → la ....

d. corriger → la ....

e. imprimer → l' ....

f. rédiger → la ....

g. critiquer → la ....

h. vérifier → la ....

279 **Complétez avec :** *organe, rédacteur, interview, scandale, carte, conférence, reportage, revue, code.*

Exemple : Les journalistes travaillent sous le contrôle de leur ***rédacteur*** en chef.

a. Les rumeurs sur les personnalités à la mode se trouvent dans la presse à ....

b. Certains partis politiques ont un journal pour exprimer leur opinion, c'est leur .... officiel.

c. Les journalistes obéissent à un .... de déontologie.

d. Pour exercer leur profession, les journalistes ont une .... de presse.

e. Un journaliste peut s'entretenir avec une personnalité, c'est une ....

f. De nombreux journalistes s'entretiennent avec une personnalité, c'est une .... de presse.

g. Un journal propose parfois une sélection de phrases lues dans divers journaux, c'est une .... de presse.

h. Un reporter est sur le terrain pour obtenir des informations ; il envoie ensuite son ....

280 ***Les petites annonces.*** **Complétez avec :** *cours, offres, collections, immobilier, demandes, rencontres, formation, animaux, autos-motos.*

Exemple : Je veux me débarrasser de tous mes vieux timbres, je regarde dans la rubrique des ***collections***.

a. Je cherche du travail, je consulte les .... d'emploi.

b. Pour trouver du travail, je peux aussi passer une annonce dans la catégorie des .... d'emploi.

c. Je voudrais faire un stage pour apprendre un nouveau métier, je consulte les annonces qui concernent la ....

d. J'ai besoin d'un professeur, je regarde dans la catégorie des ....

e. Je cherche un logement, je regarde dans la catégorie de l'................................

f. Je cherche une voiture d'occasion, je jette un œil dans la section « .... ».

g. Je n'ai pas encore trouvé l'âme sœur, je consulte les annonces de ....

h. Je voudrais avoir un chat, je cherche dans la section « .... ».

281 **Notez (J) s'il s'agit plutôt d'un journal ou (M) d'un magazine.**

Exemple : Les gros titres sont à la une. ***(J)***

a. Il a une couverture. (   )
b. Il est souvent imprimé sur du papier glacé. (   )
c. Il est généralement quotidien. (   )
d. Il est généralement hebdomadaire ou mensuel. (   )
e. Il couvre l'actualité du jour. (   )
f. Il concerne généralement un centre d'intérêt spécifique. (   )
g. Il existe une grande variété de titres. (   )
h. Il peut être gratuit et distribué dans la rue. (   )

B. LA RADIO, LA TÉLÉVISION

282 **Rayez ce qui ne convient pas.**

Exemple : J'ai vu une *émission/~~diffusion~~* intéressante à la télé.

a. Je regarde une *station/chaîne* de télévision.
b. J'écoute une *station/chaîne* de radio.
c. Une personne qui regarde la télévision est un *téléviseur/téléspectateur.*
d. Une personne qui écoute la radio est un *radiologue/auditeur.*
e. L'ensemble des gens qui ont regardé ou écouté une émission est appelé l'*audience/audit*.
f. Une émission qui est diffusée en même temps qu'elle est produite est en *différé/direct*.
g. Un court film qui met en scène une chanson est un *clip/spot*.
h. Un film de quelques secondes à but commercial est *un publiciste/une publicité*.

283 **Complétez avec :** *passe, originale, programmes, retransmis, stations, émission, chaîne, rediffusé, journal.*

Exemple : Ce soir, il y a un bon film en version ***originale*** sous-titrée.

a. Sur la bande FM, il y a beaucoup de .... de radio.
b. Quelle est ta .... de télévision préférée ?
c. J'ai vu une très bonne .... sur les nouvelles technologies.
d. Je regarde dans le magazine de télévision quels sont les .... pour la semaine.
e. Il est 13 heures, je vais écouter le .... sur Radio France International.
f. Il y a un bon film qui .... ce soir à la télé.
g. Le match est .... en direct sur la 3.
h. Le film de ce soir sera .... jeudi à 22 h 30.

284 **Reliez les mots aux explications correspondantes.**

a. un reportage
b. un documentaire
c. la météo
d. le journal
e. un téléfilm
f. un débat
g. un feuilleton
h. un jeu

1. les informations
2. une discussion organisée
3. une enquête de journalistes
4. une émission avec des candidats qui perdent ou qui gagnent
5. un film montrant des faits réels
6. les prévisions du temps
7. un film en plusieurs épisodes
8. un film produit pour la télé

285 ***Un « accro » du petit écran.*** **Complétez avec :** *poste, zappe, télécommande, émission, change, jeu, étrangères, sous-titres, câble.*

Exemple : Dès que j'arrive chez moi, j'allume mon ***poste*** de télé.

a. Quand je regarde la télé, je .... souvent de chaîne.
b. Je prends ma ....
c. Je .... pour voir ce qu'il y a en même temps sur les différentes chaînes.
d. Comme j'ai le ...., j'ai un grand choix de chaînes.
e. Je peux même voir des chaînes ....
f. Sur TV5, la chaîne francophone, on peut voir des films en français avec les .... en français.
g. Chaque soir à 18 heures, je regarde mon .... préférée.
h. C'est un .... où les candidats doivent répondre à des questions de culture générale.

286 **Reliez les éléments qui ont le même sens.**

a. un poste de télévision
b. zapper
c. une pub
d. un clip
e. le petit écran
f. le public
g. le générique
h. un animateur

1. une chanson filmée
2. un téléviseur
3. la télévision
4. une publicité
5. la liste des gens qui ont participé à l'émission
6. changer de chaîne
7. une personne qui présente une émission
8. les gens qui assistent à l'émission

287 ***Deux amis discutent.*** **Rayez ce qui ne convient pas.**

Exemple : **Alain** Qu'est-ce qu'il y a ce soir ~~sur~~/à la télé ?

a. **Cédric** Il y a un bon *documentaire/documentaliste* sur l'Afrique.
b. **Alain** Il *passe/joue* sur quelle chaîne ?
c. **Cédric** Sur *le/la* 3, à 22 heures.
d. **Alain** À 22 heures ? Mais c'est l'heure de mon film en version *originale/originelle* !
e. **Cédric** Tu peux l'*enregistrer/embobiner* et tu le regarderas demain.
f. **Alain** Bon, maintenant, c'est l'heure du *feuilleté/feuilleton*.
g. **Cédric** Au fait, qu'est-ce qui s'est passé dans le dernier *exemplaire/épisode* ?
Alain Pamella annonçait à sa meilleure amie qu'elle ne voulait plus sortir avec Bobbie.
h. **Cédric** Ah oui, j'y suis.
Alain Bon, la pub est finie, ça va commencer, tu peux monter le *son/ton* ?

288 **Reliez les éléments qui correspondent.**

a. des titres
b. des sous-titres
c. des candidats
d. une carte
e. des chanteurs
f. des journalistes
g. des acteurs
h. des musiciens → 3

1. la météo
2. un reportage
3. un concert
4. un jeu
5. une émission de variétés
6. le journal
7. un film en version originale
8. un feuilleton

289 **Remettez les phrases dans l'ordre.**

Exemple : aime/écouter/la/radio/réveillant/Bertrand/./en/bien/se
→ ***Bertrand aime bien écouter la radio en se réveillant.***

a. prenant/écoute/petit déjeuner/./à/son/radio/la/en/Il/le/journal
→ ....
b. voiture/Dans/./,//il/une/sa/presse/revue/de/écoute
→ ....
c. résume/journaliste/Un/l'actualité/extraits/des/d'articles/./lisant/en
→ ....
d. une/./il/Et/dose/ajoute/humour/bonne/d'
→ ....
e. ou/reportages/films/Le/sous-titrés/./surtout/il/regarde/soir/,/des/des
→ ....
f. De/avec/chanteurs/./regarde/il/des/émission/en/de/divertissement/temps/temps/,/une
→ ....
g. du/pub/la/zappe/pendant/,/plupart/La/il/temps/.
→ ....
h. n'est/Il/abonné/./à/payante/aucune/chaîne
→ ....

290 **Reliez ces expressions utilisées par les journalistes et leur sens.**

a. l'Hexagone
b. la capitale
c. le palais de l'Élysée
d. l'hôtel Matignon
e. le palais Brongniart
f. le quai d'Orsay
g. le Palais-Bourbon
h. le palais du Luxembourg

1. les bureaux du Premier ministre
2. la Bourse de Paris
3. la présidence de la République
4. Paris
5. l'Assemblée nationale
6. le Sénat
7. la France
8. le ministère des Affaires étrangères

(b → 4)

Bilans

291 **Des amis discutent. Complétez leur conversation avec :** *documentaire, programme, débat, feuilleton, titré, zappé, présentateur, titre, émission.*

José *Hier soir, à la télé, il y avait un .... **(1)** intéressant sur la situation internationale. Tu as regardé ?*

Julie *Non, ça commençait trop tard. J'étais trop fatiguée, je suis allée me coucher. Mais avant, j'ai vu un superbe .... **(2)** sur les parcs naturels en Australie.*

José *Oui, j'en ai vu un passage, mais j'ai .... **(3)** pour voir un film sous-................................ **(4)**.*

Julie *Il s'appelait comment ?*

José *J'ai oublié le .... **(5)**, c'est un film des années 50.*

Michel *Tu as vu le .... **(6)** pour le weed-end ? Notre chanteur favori passe dans une .... **(7)** de variétés.*

José *Oui, mais c'est dommage, je n'aime pas le .... **(8)**.*

Michel *Et juste après, il y a un nouvel épisode du .... **(9)** que j'adore. On va encore passer toute la soirée devant la télé !*

292 **Dans son cabinet, le docteur Schlutz, spécialiste des troubles du langage à Lausanne, s'entretient avec un patient qui utilise parfois un mot pour un autre. Complétez avec le mot correct.**

Le patient *L'autre jour, j'ai eu une impression bizarre en regardant la télévision. Je regardais une* chaise *mais j'avais l'impression d'entendre le son d'une autre.*

Le docteur *Vous voulez dire une c................................ **(1)**.*

Le patient *Oui, docteur, c'est bien ce que j'ai dit. Et vous allez me dire que mon* modulateur *est peut-être déréglé.*

Le docteur *Votre t................................ **(2)** !*

Le patient *Il fonctionne parfaitement. Vous allez penser que c'est moi qui suis un peu déréglé, n'est-ce pas ? En fait, c'est mon voisin qui regardait une autre* perdition*...*

Le docteur *Une é................................ **(3)**.*

Le patient *...avec le son très fort, et j'ai bien aimé ça. Maintenant, je regarde le journal et je coupe le son, j'allume la radio et je choisis la musique. Je peux même prendre un journal et lire les* renseignements *à haute voix.*

Le docteur *Les i................................ **(4)**.*

Le patient *Oui, je fais ma propre sélection d'articles, ma petite* portée *de presse.*

Le docteur *R................................ **(5)** ?*

Le patient *Oui, docteur. Et pour que ce soit plus drôle, je mélange avec des offres d'emploi que je trouve dans les petites* ronces*.*

Le docteur *Les petites a................................ **(6)** !*

Le patient *Absolument. Et pour la météo, je lis le récit d'accidents pris dans la rubrique des* fêtes d'hiver*.*

Le docteur *Des f................................ **(7)**.*

Le patient *Oui, et quand il y a un film, je remplace les dialogues par des articles trouvés dans ma* verrue *spécialisée de psychologie.*

Le docteur *Votre r................................ **(8)**.*

Le patient *Finalement, je trouve que tout est plus intéressant comme ça. C'est grave, docteur ?*

Le docteur *On va voir ça...*

X. LES SENTIMENTS

293 **Reliez les éléments qui ont le même sens.**

a. Ça m'énerve.
b. J'adore.
c. Je déteste.
d. Je suis fâché.
e. Je suis gai.
f. Je m'ennuie.
g. Je suis heureux.
h. Je suis triste.

1. Je suis content.
2. Je n'aime pas du tout.
3. Je suis joyeux.
4. Ça m'agace.
5. Je m'embête.
6. J'ai du chagrin.
7. Je suis en colère.
8. J'aime beaucoup.

294 **Complétez avec l'adjectif correspondant au nom.**

Exemple : Quelle déception ! → Il est ***déçu***.

a. Quel bonheur ! → Il est ....
b. Quel malheur ! → Il est ....
c. Quelle tristesse ! → Il est ....
d. Quelle gaieté ! → Il est ....
e. Quelle joie ! → Il est ....
f. Quelle satisfaction ! → Il est ....
g. Quelle inquiétude ! → Il est ....
h. Quel agacement ! → Il est ....

295 **Complétez avec :** *inquiet, triste, agaçant, bonne, malheureux, mauvaise, fâché, heureux, joie.*

Exemple : J'ai pleuré pendant le film, c'est une histoire vraiment ***triste***.

a. J'ai sauté de .... en apprenant la nouvelle.
b. Je suis de .... humeur, j'ai trouvé un nouveau travail.
c. Je suis de .... humeur, j'ai mal dormi.
d. Arrête ce bruit, c'est .... !
e. Elle n'est pas encore rentrée, je commence à être ....
f. J'ai été très .... de vous rencontrer.
g. Sa femme est partie, il est vraiment ....
h. J'ai complètement oublié notre rendez-vous. Tu n'es pas ...., j'espère ?

296 Reliez les éléments de sens contraire.

a. Ça me plaît.
b. C'est agréable.
c. C'est intéressant.
d. C'est rassurant.
e. C'est plaisant.
f. Je suis content. → 5
g. Je suis satisfait.
h. J'adore.

1. C'est ennuyeux.
2. Je suis insatisfait.
3. C'est déplaisant.
4. Je hais.
5. Je suis mécontent.
6. Ça me déplaît.
7. C'est désagréable.
8. C'est inquiétant.

297 Complétez avec le terme de sens contraire.

Exemple : Il est content ? – Non, il est en c***olère***.

a. Il est joyeux ? – Non, il est t ....
b. Il est heureux ? – Non, il est m ....
c. Il est de bonne humeur ? – Non, il est de m .... humeur.
d. Il a ri ? – Non, il a p ....
e. Il adore ? – Non, il d ....
f. Ça lui plaît ? – Non, ça lui d ....
g. Il est rassuré ? – Non, il est i ....
h. Il est gai ? – Non, il a du c ....

298 Notez (=) si les deux mots ont le même sens, sinon notez (≠).

Exemple : gênant – embarrassant ***(=)***

a. être inquiet – être préoccupé (   )
b. le chagrin – l'amour (   )
c. embêtant – ennuyeux (   )
d. l'humeur – l'humour (   )
e. heureux – content (   )
f. aimer – haïr (   )
g. plaisant – désagréable (   )
h. énervant – agaçant (   )

299 Complétez avec le verbe qui convient.

Exemple : Je suis impatient ! – Il ne faut pas vous ***impatienter***.

a. Je suis énervé ! – Il ne faut pas vous .... !
b. Je suis inquiet ! – Il ne faut pas vous .... !
c. Je suis fâché ! – Il ne faut pas vous .... !
d. Je suis gêné ! – Mais non, il ne faut pas vous .... !
e. Je suis en larmes ! – Il ne faut pas .... !
f. J'ai des craintes ! – Mais non, vous n'avez rien à .... !
g. J'ai des doutes ! – Mais non, vous n'avez aucune raison de .... !
h. Il m'inspire de la haine ! – Mais non, vous n'avez aucune raison de le .... !

300 ***Le grand amour !*** **Rayez l'élément qui ne convient pas dans ces expressions.**

Exemple : Je suis ~~en amour~~/*amoureux*.

a. Je suis *arrivé/tombé* amoureux.
b. Je *tombe/nage* dans le bonheur.
c. Je suis sur un petit *vélo/nuage*.
d. Je vois la vie en *rose/bleu*.
e. C'est l'amour *mou/fou*.
f. Je l'aime *passionnément/pertinemment*.
g. Je lui ai déclaré ma *femme/flamme*.
h. Je ne peux plus me *penser/passer* d'elle.

301 ***Deux copines bavardent.*** **Complétez avec :** *plu, cœur, amoureuse, entendus, sentiment, éprouve, méfies, sincère, doutes, jaloux.*

Exemple : **Aline** Ça y est, je suis ***amoureuse*** !
Laura Je suis contente pour toi ! Raconte !

a. **Aline** On s'est rencontrés à une soirée chez Martine. Il m'a tout de suite ....
b. **Aline** On a discuté. On a décidé de se revoir. On s'est bien ....
c. **Aline** Quand nous n'étions pas ensemble, j'avais le .... qui battait en pensant à lui.
Laura Je sais que tu es une grande sentimentale.
d. **Aline** Maintenant, je sais que j'................................ de l'amour pour lui.
Laura Tu lui as dit ?
e. **Aline** Oui, et il m'a répondu qu'il partageait le même ....
f. **Laura** C'est le bonheur, alors !
Aline Oui, j'espère qu'il est ....
g. **Laura** Tu as des .... ?
Aline Pas vraiment, mais, en discutant, il m'a dit qu'il ne serait pas .... si je sortais avec un autre garçon.
h. **Laura** Il t'a peut-être dit ça pour que tu ne te .... pas de lui. Et si un jour, tu fais une bêtise, il te tombera dessus. Mais dis-moi, tu vas me le présenter, quand même !
Aline Pas tout de suite, parce que moi, je suis très jalouse...

302 **Notez (+) si l'expression correspond à un sentiment amoureux, sinon notez (–).**

Exemple : Je suis folle de lui. ***(+)***

a. Je l'ai dans la peau. ( )
b. Je ne peux plus me passer de lui. ( )
c. Je ne peux plus le supporter. ( )
d. Il m'agace. ( )

e. Il me fait fondre. (   )
f. Il est craquant. (   )
g. Il me casse les pieds. (   )
h. Je ne pense plus qu'à lui. (   )

303 Reliez les deux parties de la question.

a. Quels sentiments
b. Comment lui exprimez-vous
c. Que
d. Lui avez-vous dit
e. Est-ce qu'il
f. Êtes-vous
g. Qu'est-ce qui vous
h. Qu'est-ce que vous

1. ce que vous ressentez pour lui ?
2. partage les mêmes sentiments ?
3. amoureuse de lui ?
4. éprouvez-vous pour lui ?
5. appréciez en lui ?
6. votre amour ?
7. ressentez-vous pour lui ?
8. plaît en lui ?

304 *Rire.* Complétez avec : *communicatif, rire, jaune, éclaté, voulez, de, fou, empêcher, pleuré.*

Exemple : Il me fait ***rire***.

a. Nous avons .... de rire.
b. Nous ne pouvions plu nous arrêter, nous avions le .... rire.
c. Je n'aime pas quand on rit .... mon accent.
d. Il a vu qu'on se moquait de lui, il a ri ....
e. Je n'ai pas pu m'............................... de rire.
f. C'était tellement drôle, j'en ai .... de rire.
g. Il a un rire .... qui se transmet à tout le monde.
h. Vous me demandez de terminer ce travail aujourd'hui ? Vous .... rire !

305 *Pleurer.* Complétez avec : *joie, pleurniche, larmes, émotion, pleurons, crocodile, sangloter, versé, consoler.*

Exemple : Cet enfant ***pleurniche*** pour un oui, pour un non.

a. Les .... coulaient sur ses joues.
b. J'ai essayé de le ....
c. Il s'est mis à .... encore plus fort.
d. Nous étions sous le coup de l'...............................
e. Nous étions si contents de nous revoir, nous avons pleuré de ....
f. Nous .... notre cher ami disparu.
g. À la mort de son mari, elle n'a pas .... une seule larme.
h. Ses larmes ne sont pas sincères, ce sont des larmes de .... !

306 Reliez les deux parties de la phrase.

a. Nous avons tous éclaté
b. Il a fondu
c. Il s'est moqué
d. Nous avons pleuré
e. Il s'est mis
f. Je suis tombé
g. Il m'a brisé
h. Je suis heureuse

1. de la décoration.
2. le cœur.
3. en colère.
4. avec lui.
5. amoureuse de lui.
6. de rire.
7. en larmes.
8. de joie.

307 Rayez l'élément qui n'a pas le même sens.

Exemple : aimer – adorer – ~~haïr~~ – apprécier

a. la colère – la rage – la fureur – le chagrin
b. étonné – gêné – surpris – stupéfait
c. ravi – content – énervé – heureux
d. désireux – envieux – jaloux – soupçonneux
e. gênant – embarrassant – dérangeant – plaisant
f. le chagrin – la peine – la drôlerie – la tristesse
g. le respect – l'admiration – l'estime – la pitié
h. la crainte – le soulagement – la peur – l'inquiétude

308 *L'amour fou.* Complétez ces expressions avec : *tête, corps, yeux, cœur, peau, nez, pieds, dents, doigt.*

Exemple : Je lui appartiens ***corps*** et âme.

a. Je l'ai dans la ....
b. Mon .... est à lui.
c. Il me fait perdre la ....
d. Je ferais tout pour ses beaux ....
e. Il me mène par le bout du ....
f. Il n'a qu'à lever le petit .... pour avoir ce qu'il veut de moi.
g. Je suis à ses ....
h. Quand je le vois sourire à d'autres, ça me fait grincer des ....

309 Soulignez la réponse qui convient.

Exemple : Il est drôle, il m'a tout de suite fait *pleurer* – *rire*.

a. Il m'a dit un mot gentil, ça m'a *vexée* – *touchée*.
b. Il m'a dit qu'il me trouvait mal habillée, ça m'a *vexée* – *plu*.
c. Il a pleuré de joie quand nous lui avons annoncé la nouvelle, ça nous a *émus* – *déçus*.
d. Il m'a dit que finalement, je n'avais pas attrapé de maladie, ça m'a *embêté* – *soulagé*.

e. Il a vomi juste devant moi, ça m'a *dégoûté – ému*.
f. Il n'est pas venu au rendez-vous, ça m'a *complexé – déçu*.
g. Il m'a appris que toute sa famille avait disparu dans un accident, ça m'a *bouleversé – déplu*.
h. Il ne m'a pas invité, ça m'a *consolé – déplu*.

310 **Complétez avec :** *honte, serein, pitié, déçu, fier, soulagé, consolé, rassuré, rancunier.*

Exemple : En ce moment, je suis plutôt ***serein***.

a. J'ai obtenu la meilleure note de la classe, j'étais très .... de moi.
b. Un élève a dû sortir parce qu'il trichait, j'imagine qu'il a eu ....
c. J'ai crû que je m'étais trompé pendant l'examen, mais après vérification, je n'ai pas fait d'erreur, je suis ....
d. Les examens sont finis, je suis ....
e. Dans la rue, un pauvre garçon demandait de l'argent, j'ai eu .... de lui.
f. Mon frère m'a déjà abîmé un livre, mais je lui en prête un autre, je ne suis pas ....
g. Mon copain a eu une mauvaise note, il était ....
h. Sa fiancée l'a quitté, je lui ai dit qu'il en trouverait vite une autre mais ça ne l'a pas vraiment ....

311 **Reliez les éléments qui ont le même sens.**

a. désolé	1. ému
b. serein → 5	2. envieux
c. touché	3. sensible
d. vexé	4. confus
e. susceptible	5. calme
f. jaloux	6. blessé
g. complexé	7. rassuré
h. soulagé	8. inhibé

312 **Complétez avec l'adjectif correspondant au nom.**

Exemple : la honte → ***honteux***

a. la cruauté → ....
b. la fierté → ....
c. la jalousie → ....
d. la rancune → ....
e. le soulagement → ....
f. le complexe → ....
g. l'émotion → ....
h. la déception → ....

3/3 **Reliez chaque expression familière à la phrase de même sens.**

a. C'est rasoir.
b. C'est marrant.
c. J'en ai marre.
d. J'ai le cafard.
e. On s'éclate.
f. Je suis emballé. → 7.
g. Ça ne me fait ni chaud ni froid.
h. Je lui en veux.

1. On s'amuse.
2. J'en ai assez.
3. Ça me laisse indifférent.
4. Je ne lui ai pas pardonné.
5. Je suis déprimé.
6. C'est ennuyeux.
7. J'adore.
8. C'est amusant.

3/4 ***Un mauvais jour.*** **Complétez ces expressions avec :** *noir, moral, manque, peau, zéro, morose, déprimée, remonté, cafard.*

Exemple : Elle n'a pas le ***moral***.

a. Elle a le moral à ....
b. Elle est ....
c. Elle broie du ....
d. Elle a le ....
e. Elle a l'air ....
f. Elle est mal dans sa ....
g. Elle .... de confiance en elle.
h. Elle est allée chez le coiffeur, ça lui a .... le moral.

3/5 ***La confiance.*** **Complétez ces expressions avec :** *confidence, confiance, assurance, avons, méfiant, faisons, confiant, manque, méfient.*

Exemple : Elle a ***confiance*** en elle.

a. Elle a de l'................................
b. Elle .... de confiance en elle.
c. Nous .... entièrement confiance à nos amis.
d. Nous .... tout à fait confiance en nos parents.
e. Ils ne lui font pas confiance, je dirais même qu'ils se .... de lui.
f. J'ai tendance à faire confiance, je suis d'un tempérament ....
g. Je fais difficilement confiance, je suis naturellement ....
h. Je vais vous faire une .... : je ne sais pas nager.

316 ***Les peurs.*** **Complétez ces expressions avec :** *phobie, crainte, panique, trac, appréhension, frayeur, angoisse, peur, anxieux.*

Exemple : Il a ***peur*** dans le noir.

a. Il craint les mauvais résultats, il vit dans la .... de l'échec.
b. Il a le .... avant l'examen.
c. Il a la .... des microbes.
d. Il est souvent inquiet, il est ....
e. Depuis son accident, il a toujours une petite .... avant de monter dans une voiture.
f. Depuis l'attentat, il vit dans l'................................ que ça recommence.
g. Quand il a vu qu'il ne lui restait plus que 10 minutes pour finir son devoir, il a été pris de ....
h. L'effondrement du bâtiment a provoqué une .... dans le quartier.

317 **Reliez les deux parties de la phrase.**

a. J'ai poussé un soupir
b. J'ai été méchante avec lui mais
c. J'aurais pu rester avec lui mais
d. Je lui fais entièrement
e. Je voudrais te faire une
f. Après notre dispute, on s'est quittés sans
g. Il m'a vexée,
h. Il a été méchant avec moi mais → 6

1. je n'ai aucun remords.
2. confiance.
3. je lui en veux encore.
4. rancune.
5. de soulagement.
6. je lui pardonne.
7. je n'ai aucun regret.
8. confidence.

318 ***De toutes les couleurs.*** **Complétez ces expressions avec :** *jaune, rose, vert, noir, noire, bleue* (2 fois), *blanc, rouge.*

Exemple : Avec lui, je vois la vie en ***rose***.

a. Je suis très sentimental, je suis fleur ....
b. J'ai eu honte, je suis devenu tout ....
c. Il s'est mis dans une colère ....
d. Il était .... de rage.
e. J'ai eu une peur ....
f. Il est devenu .... comme un linge.
g. Il n'a pas beaucoup apprécié la plaisanterie, il a ri ....
h. Il est déprimé, il voit tout en ....

Bilans

319 **Des amis discutent. Complétez leur conversation avec :** *confiance, dégoûté, fière, déçu, jalouse, cafard, amoureuse, vexée, honte, inquiet.*

José *Michèle, ma jeune sœur, est amoureuse. Elle est très* .... ***(1)*** *parce que le garçon qu'elle aime a deux ans de plus qu'elle. Mais sa sœur, qui était* .... ***(2)****, a tout raconté à leurs parents.*

Julie *Ça me rappelle la première fois où je suis tombée* .... ***(3)****. Je me faisais des tas d'illusions. Je mourais d'envie de l'embrasser. Un jour, on l'a fait. Il m'a dit qu'il n'avait pas trouvé ça agréable, et même que ça l'avait* .... ***(4)****. Je ne suis pas très susceptible mais là, j'étais horriblement* .... ***(5)****.*

José *Moi, j'étais toujours très* .... ***(6)****, je demandais toujours à ma fiancée de me raconter tout ce qu'elle avait fait. Finalement, elle en a eu assez, elle m'a dit que si je n'étais pas capable de lui faire* .... ***(7)****, elle préférait partir. Ça m'a* .... ***(8)****. J'ai eu un peu* .... ***(9)*** *aussi. J'ai eu le* .... ***(10)*** *pendant quelques jours et après, j'ai pensé à autre chose.*

320 **Dans son cabinet, le docteur Schlutz, spécialiste des troubles du langage à Lausanne, s'entretient avec un patient qui utilise parfois un mot pour un autre. Complétez avec le mot correct.**

Le patient *Hier, j'avais le moral à zéro, j'avais le* caviar.

Le docteur *Vous voulez dire le c................................* ***(1).***

Le patient *Oui, docteur, c'est ce que j'ai dit. Je me suis un peu disputé avec ma femme. Elle m'a reproché de ne pas lui faire assez confiance, d'être trop* mordant.

Le docteur *Trop m................................* ***(2)*** *!*

Le patient *Oui, c'est vrai que je lui pose souvent des questions ; je vérifie si elle dit la vérité. C'est peut-être un tic chez moi. Quand j'y pense, je ne suis pas très fier de moi, j'ai même* tante *de mon attitude.*

Le docteur *Vous avez h................................* ***(3).***

Le patient *Mais vous savez docteur, elle s'amuse parfois à me fâcher, à me mettre en* couleurs.

Le docteur *En c................................* ***(4).***

Le patient *Hier, elle m'a fait croire qu'elle avait oublié mon journal. Finalement, elle l'avait, mais j'étais de mauvaise* odeur *pour toute la matinée.*

Le docteur *De mauvaise h................................* ***(5)*** *?*

Le patient *Oui, docteur. Elle me tape sur les nerfs, elle me casse les* jambes.

Le docteur *Les p................................* ***(6)*** *!*

Le patient *Absolument. C'est vrai que je m'inquiète rapidement. L'autre jour, comme je n'entendais aucun bruit, j'ai crû que j'étais devenu sourd. J'ai allumé la radio et j'ai constaté que j'entendais bien. Je n'avais plus peur. J'étais* raturé.

Le docteur *R................................* ***(7).***

Le patient *Oui, mais vous voyez, je m'en rends compte, j'en ai* croyance.

Le docteur *Vous en avez c................................* ***(8).***

Le patient *Mais je vais vous confier un secret, vous faire une* connaissance.

Le docteur *Une c................................* ***(9)*** *?*

Le patient *Oui, quand je viens ici pour parler de moi, je suis sur un petit nuage rose. C'est grave, docteur ?*

Le docteur *On va voir ça...*

XI. L'OPINION

A. UNE OPINION

321 **Cochez l'élément qui convient le mieux. Vous pouvez parfois choisir deux réponses.**

Exemple : Je suis ☐ en accord ☒ d'accord avec vous.

a. Je ☐ trouve ☐ pense que c'est normal.
b. Ça me ☐ sent ☐ semble très intéressant.
c. Ça me ☐ fait ☐ paraît incroyable.
d. À mon ☐ avis ☐ air, il va revenir.
e. Tu ne pourras pas me faire changer d' ☐ avis ☐ opinion.
f. Ça m'a ☐ l'air ☐ part intéressant.
g. ☐ Après ☐ D'après moi, il ne faut pas faire comme ça.
h. ☐ D'avis ☐ Selon eux, il faut recommencer.

322 **Reliez les éléments de même sens.**

a. une opinion	1. désapprouver
b. une preuve pour convaincre	2. un point de vue
c. être d'accord	3. approuver
d. être en désaccord	4. selon moi
e. évident	5. bizarre
f. étonnant	6. un argument
g. d'après moi → 4	7. surprenant
h. étrange	8. clair

323 **Notez (+) si la phrase exprime une opinion positive, sinon notez (-).**

Exemple : Je trouve ça extraordinaire. ***(+)***

a. C'est affreux ! ( )
b. Il est sensationnel. ( )
c. Je trouve ça atroce. ( )
d. Ça me révolte. ( )
e. C'est tout à fait remarquable. ( )
f. C'est un résultat encourageant. ( )
g. C'était lamentable. ( )
h. Ça me paraît aberrant. ( )

324 Reliez les phrases de sens contraire.

a. Il est d'accord.
b. Il est pour.
c. Il a raison.
d. Il approuve.
e. Il est sceptique.
f. Il est fascinant.
g. Il admire.
h. Il est bénéfique.

1. Il a tort.
2. Il méprise.
3. Il n'est pas d'accord.
4. Il est nuisible.
5. Il est sans intérêt.
6. Il est convaincu.
7. Il est contre.
8. Il désapprouve.

325 Soulignez le terme qui exprime le degré le plus fort.

Exemple : C'est *gênant* – *affreux*.

a. C'est *intéressant* – *fantastique*.
b. J'ai trouvé ça *choquant* – *déplaisant*.
c. Il a eu un comportement *odieux* – *louche*.
d. J'ai passé un week-end *merveilleux* – *agréable*.
e. Le temps était *mauvais* – *exécrable*.
f. La nouvelle nous a *étonnés* – *bouleversés*.
g. Je trouve ça *consternant* – *préoccupant*.
h. Ça me paraît *ignoble* – *pénible*.

326 Complétez avec l'adjectif qui convient.

Exemple : Je ne peux pas supporter ça, je trouve ça ***insupportable***.

a. On ne peut pas accepter ce genre de chose, c'est ....
b. C'est quelque chose que l'on ne peut pas tolérer, c'est ....
c. Ça me dégoûte, c'est ....
d. Il faut être un monstre pour faire ça, c'est ....
e. On a vraiment du mal à croire ça, c'est ....
f. C'est une chose qu'on n'oublie pas, c'est ....
g. Ça m'a bouleversé, c'était ....
h. Personne ne peut admettre ça, c'est ....

327 Notez (=) si les deux mots ont le même sens, sinon notez (≠).

Exemple : horrible – affreux ***(=)***

a. étonnant – surprenant ( )
b. sensationnel – extraordinaire ( )
c. incroyable – inacceptable ( )
d. scandaleux – merveilleux ( )
e. lamentable – désolant ( )
f. suspect – douteux ( )
g. sensé – astucieux ( )
h. répugnant – remarquable ( )

328 **Notez (+) si la phrase exprime une opinion positive, sinon notez (-).**

Exemple : Ça me paraît bizarre. ***(-)***

a. C'est fait avec goût. ( )
b. Votre raisonnement ne tient pas debout ! ( )
c. Ça me dégoûte de voir ça. ( )
d. C'est tout à fait ce qu'il fallait. ( )
e. C'est vraiment n'importe quoi ! ( )
f. Ça n'a ni queue ni tête. ( )
g. Il a eu un comportement exemplaire. ( )
h. C'est bien vu ! ( )

329 **Rayez l'élément qui n'a pas le même sens.**

Exemple : insupportable – détestable – ~~agréable~~ – intolérable

a. sensationnel – formidable – exécrable – superbe
b. atroce – immonde – ingénieux – abject
c. scandaleux – merveilleux – inacceptable – ignoble
d. amusant – désolant – attristant – affligeant
e. remarquable – admirable – extraordinaire – lamentable
f. désastreux – judicieux – catastrophique – affreux
g. inopportun – sensé – logique – pertinent
h. gênant – pénible – désagréable – appréciable

330 **Reliez chaque phrase à l'expression familière de même sens.**

a. C'est dégoûtant.
b. C'est mauvais.
c. C'est stupide.
d. C'est fou.
e. Ça m'est égal.
f. Vous avez exagéré. → 5
g. C'est étrange.
h. Ce sont des actions malhonnêtes.

1. C'est bête.
2. C'est louche.
3. Je m'en fiche.
4. Ce sont des magouilles.
5. Vous avez dépassé les bornes.
6. C'est dégueulasse.
7. C'est nul.
8. C'est dingue.

331 **Complétez ces expressions avec :** *gorge, bras, debout, voix, avaler, sens, respire, digérer, tête.*

Exemple : Les ***bras*** m'en tombent !

a. Je suis resté sans ....
b. J'ai trouvé ça difficile à ....
c. Ça m'est resté en travers de la ....
d. J'ai refusé d' .... ses salades.

e. Son histoire ne tient pas ....
f. J'ai trouvé que ça n'avait ni queue ni ....
g. Ils ont fait ça en dépit du bon ....
h. Il ment comme il ....

332 **Cochez l'élément qui convient.**

Exemple : Je suis ☐ selon vous ☒ de votre avis.

a. Je doute, je suis ☐ sceptique ☐ douteux.
b. ☐ Quand à moi ☐ Quant à moi, j'ai décidé de réagir.
c. Qu'est-ce que tu en penses ? Qu'est-ce que tu ☐ te dis ☐ en dis ?
d. Ça ne m'a pas étonné, ☐ je m'en doutais ☐ j'en doutais.
e. Nous ne partageons pas le même ☐ point de vision ☐ point de vue.
f. Je n'ai pas ☐ d'avis ☐ de vis-à-vis sur la question.
g. Je ne me ☐ présente pas ☐ prononce pas sur ce sujet.
h. Il ☐ soutient ☐ supporte la thèse inverse.

333 ***Une lettre d'encouragement.*** **Complétez ces expressions avec :** *fond, accord, avis, évident, pris, soutiens, raison, concerne, partage.*

Exemple : J'ai appris que tu avais décidé d'accepter un nouveau travail. Je suis tout à fait d'***accord*** avec toi.

a. Tu as vraiment .... d'accepter.
b. Je suis à .... avec toi.
c. Je trouve que tu as .... la bonne décision.
d. Je te .... entièrement.
e. En ce qui me ...., j'aimerais faire la même chose.
f. Il me paraît .... que tu as fait le bon choix.
g. Je .... entièrement ton point de vue.
h. Je suis entièrement de ton ....

334 ***Une lettre de protestation.*** **Complétez ces expressions avec :** *raisonnement, réfute, déconcerté, semblent, injustifiées, remarques, contradiction, perspicacité, révoltant.*

Exemple : Je suis un lecteur ***déconcerté*** !

a. Votre article sur l'éducation me paraît tout simplement ....
b. Vos critiques sont ....
c. Je .... entièrement vos arguments.
d. Vous êtes souvent en .... avec vous-même.
e. Vos conclusions me .... aberrantes.
f. Je trouve que vous manquez singulièrement de ....
g. Vous devriez faire preuve d'un peu plus de rigueur dans votre ....
h. Bien entendu, je suis persuadé que mes .... vous laisseront indifférent.

335 **Complétez avec le terme qui convient.**

Exemple : Pour moi, c'est consternant, je suis ***consterné***.

a. Je trouve ça scandaleux, je suis s......................................
b. Ça me révolte, je trouve ça r..
c. Je prends ça avec scepticisme, je reste s...........................
d. Il m'a parlé avec conviction, il m'a c..................................
e. Je trouve ce sujet fascinant, je suis f.................................
f. C'est une aberration, ça me semble a.................................
g. Il raisonne avec astuce, son raisonnement est a.................
h. J'admire ce qu'il fait, je trouve ça a...................................

B. UN JUGEMENT MORAL

336 **Reliez les termes de sens contraire.**

a. moral	1. franc
b. bien	2. faible
c. bon	3. mal
d. courageux	4. immoral
e. fort → 2	5. lâche
f. égoïste	6. modeste
g. hypocrite	7. généreux
h. orgueilleux	8. mauvais

337 ***Autour du mot « moral »*. Complétez avec :** *morale* (3 fois), *moral* (2 fois), *moraux, amoral, moralité, immoral.*

Exemple : C'est un poste de confiance, vous devez nous prouver que vous avez une ***moralité*** irréprochable.

a. Il agit sans principes, il n'a aucune ....
b. Vous avez compris la .... de l'histoire ?
c. Il vit sans règles de conduite, c'est un être ....
d. Il agit en contradiction avec les principes de la société, il est ....
e. Arrête un peu de me faire la ....
f. Il faut rester optimiste, garde le ....
g. Les principes .... sont différents selon les civilisations.
h. Je ne suis pas d'accord avec vous, ce que vous avez fait n'est pas .... !

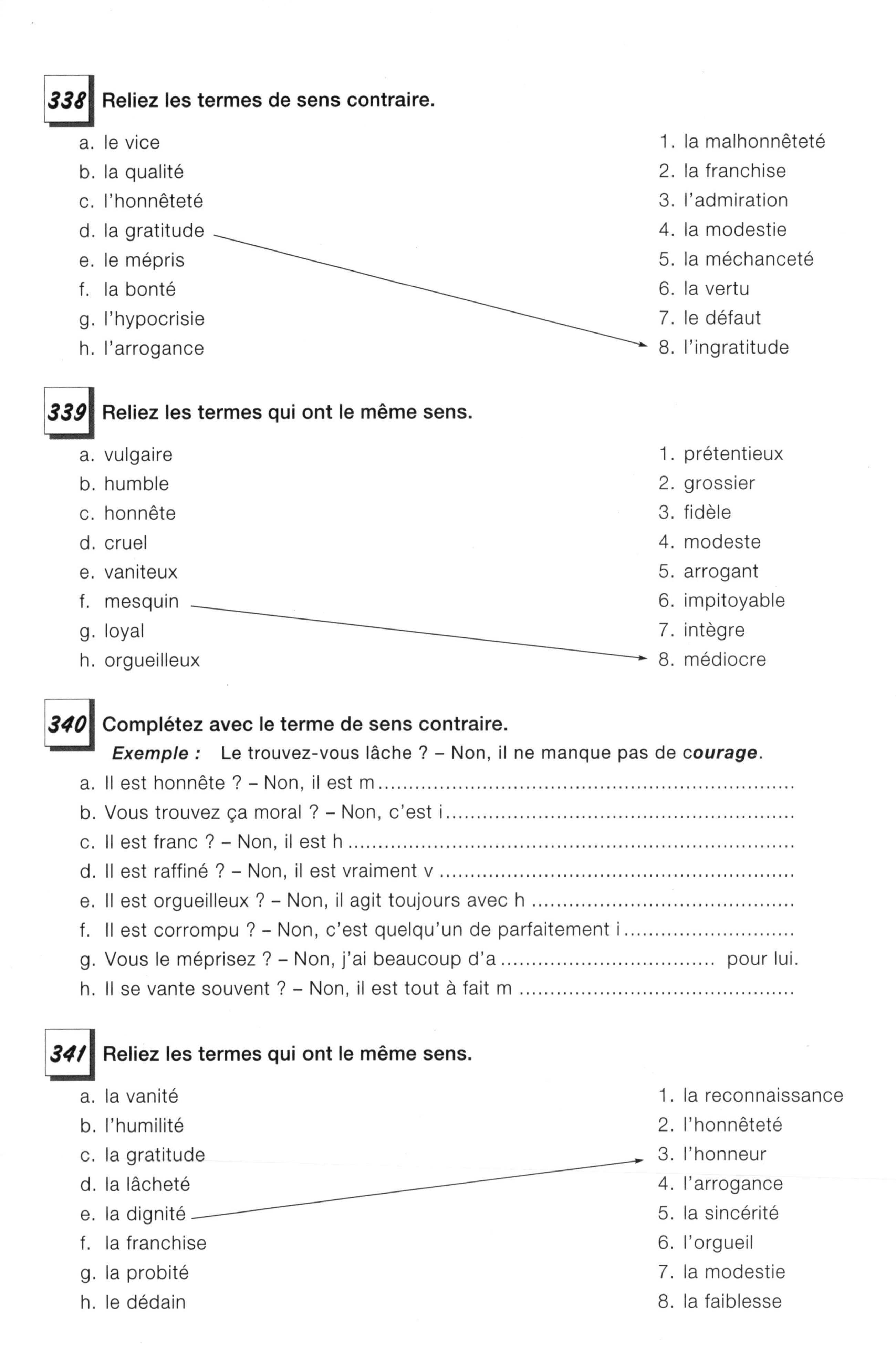

338 **Reliez les termes de sens contraire.**

a. le vice
b. la qualité
c. l'honnêteté
d. la gratitude
e. le mépris
f. la bonté
g. l'hypocrisie
h. l'arrogance

1. la malhonnêteté
2. la franchise
3. l'admiration
4. la modestie
5. la méchanceté
6. la vertu
7. le défaut
8. l'ingratitude

339 **Reliez les termes qui ont le même sens.**

a. vulgaire
b. humble
c. honnête
d. cruel
e. vaniteux
f. mesquin
g. loyal
h. orgueilleux

1. prétentieux
2. grossier
3. fidèle
4. modeste
5. arrogant
6. impitoyable
7. intègre
8. médiocre

340 **Complétez avec le terme de sens contraire.**

Exemple : Le trouvez-vous lâche ? – Non, il ne manque pas de c***ourage***.

a. Il est honnête ? – Non, il est m..
b. Vous trouvez ça moral ? – Non, c'est i..
c. Il est franc ? – Non, il est h ....
d. Il est raffiné ? – Non, il est vraiment v ....
e. Il est orgueilleux ? – Non, il agit toujours avec h ....
f. Il est corrompu ? – Non, c'est quelqu'un de parfaitement i..........................
g. Vous le méprisez ? – Non, j'ai beaucoup d'a .... pour lui.
h. Il se vante souvent ? – Non, il est tout à fait m ....

341 **Reliez les termes qui ont le même sens.**

a. la vanité
b. l'humilité
c. la gratitude
d. la lâcheté
e. la dignité
f. la franchise
g. la probité
h. le dédain

1. la reconnaissance
2. l'honnêteté
3. l'honneur
4. l'arrogance
5. la sincérité
6. l'orgueil
7. la modestie
8. la faiblesse

342 **Complétez avec le nom qui convient.**

Exemple : C'est quelqu'un de très courageux, j'admire son ***courage***.

a. Il est vraiment modeste, il fait preuve d'une grande ....
b. C'est quelqu'un de franc, nous connaissons tous sa ....
c. Il est honnête, nous louons son ....
d. Je le trouve égoïste, je ne supporte pas son ....
e. C'est quelqu'un d'orgueilleux, il agit avec ....
f. Il reste toujours digne, il agit avec ....
g. Je le trouve arrogant, je n'apprécie pas son ....
h. Il est intègre, il est d'une grande ....

343 **Rayez l'élément qui n'a pas le même sens.**

Exemple : insupportable – détestable – ~~agréable~~ – intolérable

a. la droiture – la lâcheté – la sincérité – la franchise
b. la vanité – l'humilité – la modestie – la simplicité
c. l'ingratitude – le courage – la bravoure – le cran
d. la bonté – la gentillesse – la bienveillance – la vulgarité
e. la dignité – la retenue – l'exubérance – la discrétion
f. l'orgueil – l'humanité – l'arrogance – le mépris
g. la probité – l'intégrité – la corruption – l'honnêteté
h. le panache – la médiocrité – la mesquinerie – la petitesse

Bilans

344 **Des amis discutent. Complétez leur conversation avec :** *sens, révolte, avis, arguments, raison, tort, formidable, accord, dignité, aberrant.*

Thomas *Vous avez participé à des manifestations ?*

Carole *Oui, quand je n'étais pas d'*....................... ***(1)*** *avec la réforme de l'éducation. J'ai trouvé qu'on avait* .... ***(2)*** *de vouloir imposer ces changements. Le projet manquait complètement de bon* .... ***(3)***.

Thomas *Oui. D'ailleurs, le ministre a changé d'*....................... ***(4)*** *et a renoncé à la réforme.*

Carole *J'ai aussi rédigé une pétition contre les mauvais traitements infligés aux enfants. C'est un sujet qui me* .... ***(5)***. *Certains adultes ont un comportement* .... ***(6)***. *Je n'ai pas eu de mal à trouver des* .... ***(7)*** *pour convaincre qu'il faut réagir. Les enfants ont droit au respect, à la* .... ***(8)***.

Thomas *Tu as* .... ***(9)***. *Heureusement qu'il y a aussi des gens comme toi ! Je trouve ça* .... ***(10)***...

345 **Dans son cabinet, le docteur Schlutz, spécialiste des troubles du langage à Lausanne, s'entretient avec un patient qui utilise parfois un mot pour un autre. Complétez avec le mot correct.**

Le patient *J'ai un voisin qui travaille pour une organisation humanitaire. C'est quelqu'un qui dit ce qu'il pense, il est très* blanc.

Le docteur *Vous voulez dire f...................... (1).*

Le patient *Oui, docteur, c'est ce que j'ai dit. Bien entendu, on peut lui faire entièrement confiance, il est* pommette.

Le docteur *Il est h...................... (2) !*

Le patient *Et pourtant, il ne se vante jamais, il est très* modique.

Le docteur *Il est m...................... (3).*

Le patient *Un jour, il a décidé de me convaincre d'aider financièrement les organisations comme la sienne. Moi, je doutais un peu, j'étais plutôt* porc-épic.

Le docteur *Vous étiez s...................... (4).*

Le patient *Il m'a fait comprendre que je ne pensais qu'à moi, que j'étais* soliste.

Le docteur *Que vous étiez é...................... (5) ?*

Le patient *Oui, docteur. Lui, il dit qu'il faut s'impliquer, lutter contre les magouilles, l'argent sale, éliminer la* combustion.

Le docteur *La c...................... (6) !*

Le patient *Absolument. Maintenant, je partage entièrement son coin de vue.*

Le docteur *Son p................. (7) de vue.*

Le patient *Oui, mais je vais vous avouer quelque chose. Il est tellement parfait que je ne peux plus le supporter. Je sais, ce n'est pas joli-joli de ma part. Je ne peux pas m'en empêcher. Je devrais l'admirer, l'aider, le* soupeser.

Le docteur *Le s...................... (8).*

Le patient *Exactement. Mais, je le déteste. C'est grave, docteur ?*

Le docteur *On va voir ça...*

XII. LA VIE CITOYENNE

A. Les élections

346 **Rayez ce qui ne convient pas.**

Exemple : Les ~~citadins~~/*citoyens* participent aux élections.

a. Une permission que chacun peut exiger, c'est *un droit/une droite*.
b. Une obligation envers la société, c'est un *droit/devoir*.
c. Nous votons pour *ériger/élire* des représentants ou des responsables.
d. Chaque personne qui peut voter est un *lecteur/électeur*.
e. Chaque personne qui a effectivement voté est un *député/votant*.
f. Les bulletins de vote sont *dépouillés/élus*.
g. Chaque bulletin de vote apporte une *voix/urne*.
h. Si aucun candidat n'obtient la majorité absolue, on organise *un deuxième tour/une deuxième tournée*.

347 ***Que pensez-vous des élections ?*** **Complétez avec :** *opinion, bulletin, devoir, démocratie, droit, représentatifs, corvée, vote, abstention.*

Exemple : Ce n'est pas un gros effort, il suffit de mettre notre ***bulletin*** dans l'urne !

a. J'estime qu'il faut le faire, c'est un .... civique.
b. Je pense que c'est un .... accordé à tout le monde.
c. Pour moi, ce n'est pas agréable, c'est une vraie .... d'aller au bureau de vote.
d. Je suis contre, je suis pour l'.............................
e. Le vote est une garantie de ....
f. C'est l'occasion d'exprimer notre ....
g. À mon avis, les hommes politiques ne sont pas vraiment ....
h. Il faudrait simplifier le ...., peut-être avec Internet.

348 **Cochez l'élément qui convient.**

Exemple : Le président de la République est ☐ nommé ☒ élu par le peuple.

a. Il se présente aux élections, il est ☐ compétent ☐ candidat.
b. Aux élections municipales, on élit les ☐ maires ☐ ministres.
c. Aux élections législatives, on élit les ☐ sénateurs ☐ députés.
d. Aux élections présidentielles, on élit le ☐ président de la République ☐ Premier ministre.
e. Les maires, les députés, le Président sont élus au suffrage universel ☐ direct ☐ indirect.
f. Les sénateurs sont élus au suffrage ☐ indirect ☐ direct.
g. Le Président est élu pour 5 ans, c'est un ☐ quinquennat ☐ quintal.
h. On peut voter pour répondre à une question posée par le gouvernement, c'est un ☐ référendum ☐ référentiel.

349 Reliez les deux parties de la phrase.

a. Les partis politiques
b. Pour un sondage d'opinion,
c. Pour le dépouillement,
d. En cas de ballotage,
e. Une circonscription
f. Au bureau de vote,
g. La carte d'électeur
h. Pour obtenir la majorité absolue,

1. aucun candidat n'a la majorité.
2. on interroge les gens sur leurs intentions de vote.
3. est un secteur de vote.
4. il faut recevoir plus de 50 % des suffrages.
5. présentent des candidats aux élections.
6. les électeurs vont mettre leur bulletin dans l'urne.
7. on compte le nombre de voix exprimées.
8. prouve que l'on est inscrit et que l'on peut voter.

350 *Les partis.* Soulignez l'élément qui convient.

Exemple : Les *militants* – *abstentionnistes* participent activement à la vie de leur parti.

a. Les candidats sont généralement présentés par *un parti – une partie.*
b. Les partis conservateurs sont traditionnellement désignés comme étant *à gauche – à droite.*
c. Les partis progressistes sont traditionnellement désignés comme étant *à gauche – à droite.*
d. Les partis qui ne se situent ni à gauche, ni à droite, se situent *au centre – au-dessus.*
e. Les partis en faveur de la protection de l'environnement sont *écologiques – écologistes.*
f. La couleur généralement associée aux partis liés à l'environnement est le *vert – jaune.*
g. Avant les élections, les partis établissent un *programme – quinquennat.*
h. Pour convaincre les électeurs de voter pour eux, ils font une *campagne – compagnie* électorale.

351 Complétez avec le nom correspondant au verbe.

Exemple : élire → une ***élection***

a. voter → un ....
b. s'abstenir → une ....
c. sonder → un ....
d. protéger → une ....
e. obliger → une ....
f. s'inscrire → une ....
g. nommer → une ....
h. compter → un..

352 Complétez avec le mot qui convient.

Exemple : Il y a une élection, on va ***élire*** le Président.

a. Il est candidat, il pose sa ....
b. Il a le droit de voter, c'est un ....
c. Le Président est élu au .... universel.
d. Les maires sont élus lors des élections ....

e. Les députés sont élus lors des élections ....
f. Les .... politiques présentent des candidats.
g. Les candidats font une .... pour présenter leur programme.
h. Pour gagner une élection, il faut obtenir la .... des voix.

B. INSTITUTIONS ET ORGANISATIONS

353 ***La République française.*** **Reliez les deux parties de la phrase.**

a. La Constitution de 1958
b. La devise de la République
c. Le drapeau tricolore
d. L'hymne national
e. La monnaie
f. Le Président
g. Le Premier ministre
h. Le Parlement → 1

1. est constitué de deux assemblées.
2. est *La Marseillaise.*
3. est le chef de l'État.
4. régit le fonctionnement des institutions.
5. est l'euro.
6. est le chef du gouvernement.
7. est l'emblème officiel.
8. est « Liberté, Égalité, Fraternité ».

354 **Complétez avec :** *cabinet, pouvoir, sécurité, nommé, constitue, diplomatie, élu, propose, Conseil.*

Exemple : Le président de la République et les ministres constituent le ***pouvoir*** exécutif.

a. Le Président est .... au suffrage universel.
b. Le Premier ministre est .... par le Président.
c. Le Premier ministre .... un gouvernement.
d. Il .... des ministres au Président.
e. Chaque ministre compose un ....
f. Le gouvernement se réunit chaque semaine lors du .... des ministres.
g. Le ministère de l'Intérieur est chargé de la .... dans le pays.
h. Le ministère des Affaires étrangères régit la ....

355 **Complétez avec :** *cohabitation, démission, confiance, dissoudre, majorité, alternance, coalition, respect, opposition.*

Exemple : La ***démission*** du Premier ministre provoque un changement de gouvernement.

a. Deux partis peuvent unir leurs programmes pour augmenter leurs chances d'accéder au pouvoir, il s'agit d'une ....
b. Les partis qui ont obtenu le plus de députés à l'Assemblée constituent la ....
c. Les partis qui ont obtenu le moins de suffrages constituent l'............................
d. Lorsqu'une élection fait changer la majorité parlementaire, on parle d'une ....

e. Si la majorité parlementaire ne correspond pas à la majorité présidentielle, le Président nomme un Premier ministre parmi les représentants de l'opposition, il s'agit d'un gouvernement de ....
f. Le Conseil constitutionnel veille au .... de la Constitution.
g. Le gouvernement peut engager sa responsabilité par la question de ....
h. Le président de la République peut .... l'Assemblée.

356 ***Le vote d'une loi.*** **Complétez avec :** *officiel, législatif, débats, adopté, discuté, sénateurs, décrets, projets, députés.*

Exemple : Voici l'organisation du pouvoir ***législatif***.

a. Le gouvernement soumet des .... de loi.
b. À l'Assemblée nationale, des .... ont lieu.
c. Les .... votent pour ou contre le projet.
d. Le texte de loi est .... par le Sénat.
e. Les .... votent.
f. En cas d'acceptation par le Sénat, le texte est définitivement .... par l'Assemblée.
g. Le texte de loi est publié au Journal ....
h. Le ministère concerné publie les .... d'application.

357 **Reliez les éléments de même sens.**

a. discuter	1. une assemblée
b. soumettre	2. proposer
c. adopter	3. une coexistence
d. un conseil	4. une alliance
e. une cohabitation → 3	5. débattre
f. une coalition	6. les lois
g. nommer	7. accepter
h. la législation	8. désigner

358 ***Le découpage administratif.*** **Complétez avec :** *96, 4* (2 fois), *37 000, 75, 100, 1000, 26, 6.*

Exemple : La France est divisée en **4** niveaux administratifs : l'État, la région, le département et la commune.

a. La France est découpée en .... régions.
b. Le pays comprend .... départements.
c. Parmi ces départements, ... sont en métropole.
d. Il y a .... départements d'outre-mer (les DOM) : la Martinique, la Guadeloupe, la Réunion et la Guyane.
e. On compte environ .... communes.
f. 80 % des communes ont moins de .... habitants.
g. Les maires sont élus pour .... ans.
h. On a attribué un numéro à chaque département, par exemple pour Paris, c'est le ....

359 **Complétez avec :** *préfecture* **(2 fois)**, *local, municipal, régional, préfet, mairie, général, maire.*

Exemple : Voici l'organisation du pouvoir administratif ***local***.

a. Le .... est élu à la tête de la commune.
b. Il siège à la ....
c. Il préside le conseil ....
d. Un .... est nommé pour administrer chaque département.
e. Le conseil .... gère le département.
f. Le conseil .... gère la région.
g. La ville principale d'un département est une .... car le préfet y siège.
h. À Paris, la .... de police est le siège de la police.

360 ***La monarchie.*** **Reliez les deux parties de la phrase.**

a. À la tête du pays se trouve un roi ou
b. Le monarque porte
c. Le pays où il règne est
d. Les habitants de ce pays sont ses
e. Le pouvoir se transmet aux
f. Le roi est aussi appelé → 6.
g. Le fils de la famille royale est
h. Le futur héritier du trône est

1. sujets.
2. la couronne.
3. héritiers.
4. le dauphin.
5. une reine.
6. le souverain.
7. un royaume.
8. le prince.

361 ***Les finances.*** **Complétez avec :** *revenus, fisc, impôts, exonérés, Finances, imposables, subventions, recettes, contribuables.*

Exemple : Le budget de l'État est alimenté par les taxes et les ***impôts***.

a. Le ministère de l'Économie et des .... gère les dépenses publiques.
b. Le service chargé de l'impôt s'appelle le ....
c. Chaque personne doit faire une déclaration de ....
d. Les personnes payant des impôts sont des ....
e. Pour financer les services publics, certains travaux et certaines associations, l'État accorde des ....
f. Les personnes ayant de faibles ressources ne sont pas ....
g. À cause de la fraude, une partie des .... fiscales n'arrive pas dans les caisses de l'État.
h. Certains placements financiers sont .... d'impôts.

362 **Complétez ces sigles avec :** *Union, travail, unies, Médecins, traité, santé, libertés, Fonds, gouvernementale.*

Exemple : OIT → Organisation internationale du ***travail***

a. ONG → Organisation non ....
b. FMI → .... monétaire international
c. ONU → Organisation des Nations ....
d. OTAN → Organisation du .... de l'Atlantique Nord
e. OMS → Organisation mondiale de la ....
f. UE → .... européenne
g. CNIL → Commission nationale de l'informatique et des ....
h. MSF → .... sans frontières

C. Enjeux et problèmes sociaux

363 ***Les mots avec « sans ».*** **Reliez les deux parties de la phrase.**

a. Ils n'ont rien pour se protéger,
b. Ils n'ont pas de maison,
c. Ils n'ont pas de logement stable,
d. Ils n'ont pas de travail,
e. Ils ne sont pas en règle avec l'administration,
f. Ils sont en bas de la hiérarchie,
g. Ils n'ont pas d'argent,
h. Ils restent insensibles à la misère des autres,

1. ce sont les sans-papiers.
2. ce sont les sans domicile fixe (SDF).
3. ce sont les sans-logis.
4. ce sont les sans-cœur.
5. ce sont les sans-abri.
6. ce sont les sans-grade.
7. ce sont les sans-emploi.
8. ce sont les sans-le-sou.

364 ***Les problèmes sociaux.*** **Reliez les termes à leur description.**

a. le chômage
b. la violence
c. l'inégalité
d. la famine
e. la pauvreté
f. l'illetrisme
g. l'alcoolisme
h. la précarité

1. On n'a pas tous les mêmes chances.
2. On n'a pas d'emploi.
3. On meurt de faim.
4. On est dans une situation incertaine.
5. On est dépendant de l'alcool.
6. On n'a pas d'argent.
7. On n'est pas en sécurité.
8. On a des difficultés à lire.

365 ***Des objectifs pour l'avenir.*** **Complétez avec :** *durable, développement, inégalités, espérance, partenariat, sanitaire, renouvelables, pacifiques, équitable.*

Exemple : Il reste beaucoup à faire dans les pays en voie de ***développement***.

a. Allonger l' .... de vie.
b. Développer un commerce ....
c. Instaurer un développement ....
d. Réduire les ....
e. Favoriser les énergies ....
f. Améliorer l'état ....
g. Entretenir des relations ....
h. Accroître le ....

Bilans

366 **Des amis discutent. Complétez leur conversation avec :** *candidat, pouvoir, sondages, abstention, majorité, législatives, député, maires, droit, lois.*

Patrice *Il y a bientôt les élections .... **(1)**. On va élire nos députés.*

Nathalie *Oui, la campagne va commencer. Les .... **(2)** ne sont pas en faveur de la .... **(3)** actuelle.*

Robert *Ils se trompent souvent. Beaucoup d'électeurs se décident au dernier moment. Ils choisissent le .... **(4)** qui a la meilleure tête, selon eux.*

Patrice *Et pourtant, un .... **(5)** a un rôle important, il représente le peuple, il vote les .... **(6)**.*

Nathalie *Oui, mais trop souvent, les élus ne tiennent pas assez compte de nos besoins. Une fois qu'ils sont au .... **(7)**, ils n'essaient pas vraiment de changer les choses. Sauf peut-être les .... **(8)**, qui sont élus dans chaque commune, et qui sont en contact avec leurs électeurs.*

Patrice *Tu me donnes envie de ne pas voter, de préférer l'............................ **(9)**.*

Robert *Non, le vote est un .... **(10)** civique, il faut exprimer ton opinion. Essaie simplement de choisir le candidat qui te représente le moins mal...*

367 **Dans son cabinet, le docteur Schlutz, spécialiste des troubles du langage à Lausanne, s'entretient avec un patient qui utilise parfois un mot pour un autre. Complétez avec le mot correct.**

Le patient *J'aimerais bien être le roi. Mais je ne sais pas comment le devenir. On ne peut pas être* hélé *par le peuple.*

Le docteur *Vous voulez dire être é............................* ***(1)****.*

Le patient *Oui, docteur, c'est ce que j'ai dit. Je ne pourrai jamais devenir Président car je n'appartiens à aucun* baril *politique.*

Le docteur *Aucun p............................* ***(2)*** *!*

Le patient *Oui, mais je pourrais épouser une* traîne *pour devenir roi.*

Le docteur *Une r............................* ***(3)****.*

Le patient *Je visiterais le monde, j'irais voir les gens qui n'ont rien, qui souffrent de la* propreté*.*

Le docteur *De la p............................* ***(4)****.*

Le patient *Oui, et je lutterais contre la* farine *en leur donnant à manger.*

Le docteur *Contre la f............................* ***(5)*** *?*

Le patient *Oui, docteur. Et je m'occuperais des impôts. Je serais le responsable du* pic*.*

Le docteur *Du f............................* ***(6)*** *!*

Le patient *Absolument. Ce n'est pas très compliqué. J'augmenterais considérablement les impôts. Il faut bien remplir les caisses. Et ensuite, je supprimerais le Parlement, avec tous ses sénateurs et ses* répudiés*.*

Le docteur *Ses d............................* ***(7)****.*

Le patient *Oui, ils coûtent cher et ne servent à rien. Avec les économies, je lutterais efficacement contre les* blaireaux *sociaux comme l'alcoolisme, le chômage.*

Le docteur *Les f............................* ***(8)****.*

Le patient *J'exagère toujours un peu, non ? C'est grave, docteur ?*

Le docteur *On va voir ça...*

XIII. LE MONDE DE L'ENTREPRISE

A. Les lieux

368 **Reliez les deux parties de la phrase.**

a. Une entreprise publique
b. Une entreprise privée
c. Une société anonyme
d. Un groupe
e. Une usine
f. Un chantier
g. Une filiale
h. Le siège

1. est détenue par des associés.
2. est constitué de plusieurs sociétés avec un même contrôle.
3. est un site de fabrication.
4. est détenue par des particuliers.
5. est un site de construction.
6. est contrôlée par l'État.
7. est le bureau principal d'une société.
8. est une société contrôlée par une autre.

369 ***Qu'est-ce qu'on y fait ?*** **Complétez avec :** *sidérurgique, atelier, aéronautique, édition, agroalimentaire, aciérie, naval, métallurgique, informatique.*

Exemple : Dans un ***atelier*** travaille un ouvrier ou un artisan.

a. Dans une ...., on fabrique de l'acier.
b. Dans un site ...., on produit des métaux.
c. Dans un chantier ...., on construit des bateaux.
d. Dans une usine ...., on travaille l'acier, la fonte, le fer.
e. Dans un site de construction ...., on fabrique des avions.
f. Dans une société d'..............................., on produit notamment des ordinateurs.
g. Dans une société d'..............................., on publie des livres.
h. Dans une entreprise d'........................., on fabrique des produits servant à la nourriture.

370 **Reliez les éléments qui correspondent.**

a. le commerce
b. la grande distribution
c. l'industrie
d. l'artisanat
e. les services
f. le textile
g. la pétrochimie
h. la logistique

1. la production en grandes quantités
2. les dérivés du pétrole
3. les prestations
4. le tissu, les vêtements
5. la production en petites quantités
6. la vente en magasin
7. l'organisation des transports
8. la vente en supermarché

371 ***Connaissez-vous ces sigles ?*** **Complétez avec : travail, transports, Gaz, industries, Électricité, chemins, Cotation, entreprises, Courrier.**

Exemple : RATP → Régie autonome des ***transports*** parisiens

a. EDF → .... de France
b. GDF → .... de France
c. SNCF → Société nationale des .... de fer français
d. CEDEX → .... d'entreprise à distribution exceptionnelle
e. CAC 40 → .... assistée en continu
f. PME → Petites et moyennes ....
g. PMI → Petites et moyennes ....
h. CGT → Confédération générale du ....

372 **Complétez avec :** *siège, multinationale, numéro, groupe, déplacement, bureau, filiales, service, usines.*

Exemple : Michel travaille pour une ***multinationale***.

a. Sa société fait partie d'un .... industriel.
b. Cette entreprise est .... 1 mondial dans son domaine.
c. Le .... est à Paris.
d. Le .... de Michel se trouve dans une tour à La Défense, tout près de Paris.
e. Il est souvent en ....
f. Il doit se rendre dans les .... pour rencontrer les responsables de la production.
g. Il visite aussi les ...., en France et à l'étranger.
h. Il travaille au .... juridique.

373 ***Autour du mot « service ».*** **Complétez avec :** *secteur, fonctionne, commence, aider, intérêt, personnel, activité, disposition, information.*

Exemple : Le distributeur est hors service : il ne ***fonctionne*** pas.

a. Il prend son service à 15 heures : il .... son travail à 15 heures.
b. Les livraisons se font par l'entrée de service : la porte réservée au ....
c. Je suis à votre service : à votre ....
d. Pouvez-vous me rendre un petit service : pourriez-vous m'................................ ?
e. Les notes de service sont affichées dans le couloir : les textes d'................................ pour le personnel.
f. Elle travaille au service marketing : un .... dans l'entreprise.
g. C'est un service public : une activité d'................................ général.
h. M. Legal nous quitte après 15 ans de bons et loyaux services : 15 ans d'................................

374 **Reliez les deux parties de l'expression.**

a. un atelier	1. de publicité
b. une chaîne	2. après-vente
c. un bureau	3. de fabrication
d. une agence	4. d'études
e. un cabinet → 6	5. de distribution
f. une étude	6. d'avocat
g. un réseau	7. de montage
h. un service	8. de notaire

B. Les personnes

375 **Cochez l'élément qui convient.**

Exemple : Ce schéma indique la répartition du travail dans l'entreprise, c'est l' ☐ encéphalogramme ☒ organigramme.

a. Il travaille dans un atelier de fabrication, il est ☐ industrieux ☐ ouvrier.
b. Il travaille pour un service de l'État, c'est un ☐ bureaucrate ☐ fonctionnaire.
c. Il est patron d'une société, il est ☐ employé ☐ employeur.
d. Il a un poste d'exécution, il est ☐ employé ☐ cadre.
e. Il a un poste de responsable, il est ☐ employé ☐ cadre.
f. Il représente le personnel auprès de la direction, c'est le ☐ délégué ☐ chef du personnel.
g. C'est un étudiant envoyé dans l'entreprise pour apprendre les aspects pratiques du travail, c'est un ☐ étalagiste ☐ stagiaire.
h. Le Directeur des ressources humaines (DRH) est responsable ☐ des finances ☐ du personnel.

376 **Complétez avec le verbe correspondant au nom.**

Exemple : le contrôle → ***contrôler***

a. la direction → ....
b. la gestion → ....
c. l'administration → ....
d. la prévision → ....
e. la décision → ....
f. l'organisation → ....
g. la réalisation → ....
h. le développement → ....

377 **Complétez avec :** *fournisseur, fondateur, qualifié, sous-traitant, compétent, actionnaire, personnel, conseil, expatrié.*

Exemple : **Il a fondé l'entreprise, c'est le *fondateur*.**

a. Cet ouvrier a reçu une formation professionnelle, il est ....
b. Il fait bien son métier, il est ....
c. Le DRH gère le ....
d. Il est en mission à l'étranger, il est ....
e. Il fournit à l'entreprise un produit dont elle a besoin, c'est un ....
f. Cette société réalise un travail pour une autre entreprise, c'est un ....
g. Il possède une partie du capital de l'entreprise, c'est un ....
h. Il prend les décisions stratégiques pour l'entreprise, c'est le .... d'administration.

Complétez avec : *DRH, financier, comptable, marketing, technique, juridique, assistante, PDG, commercial.*

Exemple : **Il dirige l'ensemble de l'entreprise : le *PDG*.**

a. Il tient à jour les documents obligatoires, il prépare les feuilles de salaire, établit les factures, c'est le ....
b. Il est chargé du recrutement, de la formation et des licenciements, c'est le ....
c. Il surveille les coûts, les investissements, les liquidités, c'est le directeur ....
d. Il coordonne les équipes de ventes, surveille les besoins des clients, c'est le directeur ....
e. Il est spécialiste des questions légales, il rédige les contrats, c'est le directeur ....
f. Il met en place la fabrication, c'est le directeur ....
g. Elle aide un cadre, elle tient son agenda et s'occupe de son courrier, c'est l'.............................
h. Il s'occupe de la publicité, de la communication, c'est le chef du ....

379 **Notez (=) si les deux mots ont le même sens, sinon notez (≠).**

Exemple : le chef – le patron ***(=)***

a. le cadre – le responsable ( )
b. l'employeur – l'employé ( )
c. l'employé – le cadre ( )
d. la hiérarchie – les niveaux de responsabilité ( )
e. la promotion – la formation ( )
f. engager – embaucher ( )
g. le fournisseur – la fourniture ( )
h. qualifié – spécialisé ( )

380 **Complétez ces paroles avec :** *rattaché, responsable, adjoint, effectifs, vice, collègues, collaborateur, chef, indépendant.*

Exemple : Je suis le ***responsable*** du matériel informatique.

a. Le ....-président va vous recevoir.
b. J'ai rencontré l'............................... du directeur de la communication.
c. – Quels sont les .... ?
– 3 200 personnes.
d. Si je ne suis pas là, vous pouvez vous adresser à mon ....
e. C'est un travailleur ...., il travaille régulièrement pour nous.
f. Nous travaillons dans le même service, nous sommes ....
g. Je suis .... directement au directeur juridique.
h. Le .... d'atelier voudrait vous voir.

C. LE CYCLE DU TRAVAIL

381 **Rayez ce qui ne convient pas.**

Exemple : Il est à ~~*l'embauche*~~*/la recherche* d'un emploi.

a. Il a répondu à une annonce pour un *rôle/poste* de contrôleur de gestion.
b. Il a envoyé sa lettre de *promotion/candidature*.
c. Il a accompagné sa lettre d'un *CD/CV.*
d. On lui a proposé un *entretien/bavardage* avec le responsable du personnel.
e. Il n'a pas encore trouvé de premier emploi ; pour l'instant, il a seulement fait *une visite/un stage* en entreprise.
f. Il n'a pas encore d'*expérience/expérimentation*.
g. Finalement, il a été *loué/engagé* en contrat à durée déterminée.
h. Mais il doit absolument réussir sa période d'*essayage/essai*.

382 ***Les diverses formes du travail.*** **Complétez avec :** *emploi, job, boulot, affectation, travaux, tâches, poste, travail, fonctions.*

Exemple : Les étudiants recherchent un ***job*** pour l'été.

a. Il a trouvé un petit .... dans un restaurant en attendant.
b. Elle est candidate à un .... d'assistante commerciale.
c. Nous avons beaucoup de .... en ce moment.
d. Il a de nouvelles .... dans l'entreprise.
e. Il a demandé son .... au siège.
f. Il est à la recherche d'un ....
g. Il doit accomplir des .... très variées.
h. On effectue des .... de rénovation dans l'atelier d'assemblage.

383 ***Les compétences pour un emploi.*** **Complétez avec :** *conseil, coordonner, sens, élaborer, animer, exercer, œuvre, superviser, analyser.*

Exemple : Votre rôle consistera à ***coordonner*** l'ensemble des activités.

a. Vous devrez .... une équipe commerciale pour la dynamiser.
b. Il faudra .... la production pour s'assurer de la qualité.
c. Vous aurez un rôle de .... auprès de nos clients pour les aider dans leur choix.
d. Votre mission consistera à .... de nouvelles stratégies pour l'avenir.
e. Il s'agira de mettre en .... une nouvelle organisation du travail.
f. Vous commencerez par .... les besoins de nos clients.
g. Ce poste requiert un excellent .... du contact.
h. Vous devrez .... des responsabilités en matière financière.

384 **Complétez avec :** *comité, avantages, réduction, prime, fonction, durée, tarifs, mois, congés.*

Exemple : Dans notre entreprise, nous avons certains ***avantages***.

a. Si nous avons atteint nos objectifs, nous recevons une ....
b. Nous avons 5 semaines de ....
c. La .... du temps de travail a été fixée à 35 heures par semaine.
d. Nous avons un 13e .... de salaire.
e. Nous avons plus de temps libre grâce à la .... du temps de travail.
f. Certaines personnes ont une voiture de ....
g. Le .... d'entreprise organise des activités culturelles ou sportives.
h. Nous avons droit à des .... préférentiels sur les produits de la maison.

385 **Reliez les éléments pour retrouver des documents courants.**

a. un contrat	1. de frais
b. un bulletin	2. de licenciement
c. un livre	3. de travail
d. une note	4. de comptes
e. un compte-rendu →	5. de commande
f. un récépissé	6. de réunion
g. un bon	7. de salaire
h. une lettre	8. de livraison

386 **Soulignez l'élément qui a le même sens.**

Exemple : fabriquer : produire – emballer

a. commercialiser : mettre en vente – acquérir
b. compétent : bruyant – qualifié
c. accomplir : réaliser – compléter
d. inciter : nommer – encourager
e. élaborer : créer – tester
f. s'impliquer : s'investir – s'éloigner
g. consciencieux : négligent – minutieux
h. le succès : la réussite – la faillite

387 ***La fin d'un emploi.*** **Complétez avec :** *partie, cessé, quittés, licencier, renvoyée, mettre, remercié, séparer, licenciement.*

Exemple : Nous avons ***cessé*** notre collaboration.

a. Il ne travaille plus ici, nous avons dû le ....
b. Nous avons été obligés de nous .... de lui.
c. On l'a ....
d. Il vient de recevoir sa lettre de ....
e. On l'a .... parce qu'elle était toujours en retard.
f. Il ne fait plus .... du personnel.
g. Il nous a .... récemment.
h. Nous avons dû le .... à la porte.

388 ***Connaissez-vous le sens de ces sigles ?*** **Complétez les mots.**

Exemple : CE → Comité d'e***ntreprise***

a. PME → Petites et m .... entreprises
b. CDD → Contrat à durée d..
c. CDI → Contrat à durée i ....
d. PDG → Président directeur g ....
e. ANPE → A................................. nationale pour l'emploi
f. CV → Curriculum v..
g. DRH → Directeur des ressources h..................................
h. RTT → Réduction du temps de t ....

389 **Cochez l'élément qui convient.**

Exemple : Il est ☐ chercheur ☒ demandeur d'emploi.

a. Il a démissionné de son emploi : ☐ on lui a demandé de partir ☐ il a décidé de partir.
b. Il a été licencié par son entreprise : ☐ il a reçu un diplôme ☐ il a été renvoyé.
c. La direction l'a ☐ remercié ☐ éliminé.
d. Il est en période de ☐ préavis ☐ réservation.
e. Pour retrouver du travail, il va s'inscrire à ☐ la PME ☐ l'ANPE.
f. Il va toucher les ☐ allocations chômage ☐ allocations familiales.
g. On lui propose un ☐ étage ☐ stage de qualification.
h. Il aimerait bien ☐ se convertir ☐ se reconvertir dans un nouveau métier.

390 **Reliez chaque expression familière à la phrase de même sens.**

a. monter une boîte	1. trouver un emploi
b. virer	2. créer une entreprise
c. toucher du fric	3. un patron, un directeur
d. décrocher un boulot	4. renvoyer
e. bosser	5. fermer définitivement l'entreprise
f. un travail au noir	6. travailler
g. mettre la clé sous la porte	7. gagner de l'argent
h. un boss	8. un emploi non déclaré

391 **Complétez les mots.**

Exemple : De nombreuses entreprises opèrent des r***estructurations***.

a. Patrick n'a pas trouvé d'emploi, il est au c................................

b. Il n'a pas de travail, il est c................................

c. Julien a perdu son emploi, il a été l................................

d. Pour réduire les effectifs, l'entreprise procède à des l................................

e. En cas de perte d'emploi, on reçoit une a................................ chaque mois.

f. L'employeur verse des i................................

g. On propose aux employés les plus âgés un départ anticipé à la r................................

h. D'autres personnes doivent se reconvertir dans un nouvel e................................

D. Les résultats

392 **Notez (+) si la phrase exprime une augmentation, (-) pour une diminution et (=) pour aucun des deux.**

Exemple : Notre activité a fortement augmenté. ***(+)***

a. Nos résultats sont en hausse. ( )

b. Nous constatons une baisse des ventes. ( )

c. Les exportations ont diminué. ( )

d. Les résultats sont restés stables. ( )

e. Nous constatons une stagnation de nos bénéfices. ( )

f. On nous annonce une chute des cours de la Bourse. ( )

g. Nous avons connu une croissance record. ( )

h. Nos résultats sont en net recul. ( )

393 **Complétez avec le verbe correspondant au nom.**

Exemple : une augmentation → ***augmenter***

a. une diminution → ....

b. une baisse → ....

c. un recul → ....

d. une chute → ....

e. un ralentissement → ....

f. un effondrement → s'..

g. une progression → ....

h. une croissance → ....

394 **Reliez les éléments de sens contraire.**

a. la hausse	1. moins bien
b. augmenter →	2. se dégrader
c. mieux	3. moins bon
d. meilleur	4. diminuer
e. supérieur	5. la récession
f. s'améliorer	6. plus bas
g. plus élevé	7. la baisse
h. la croissance	8. inférieur

395 **Complétez avec :** *bilan, bénéfices, cotés, déficit, croissance, faillite, déposer, profits, subvention.*

Exemple : Nous sommes heureux d'annoncer des ***profits*** exceptionnels.

a. Nous sommes en période de ....

b. Nous allons devoir .... le bilan.

c. Nous sommes au bord de la ....

d. L'État va devoir injecter une forte .... pour remettre l'entreprise à flot.

e. Nous renouons avec les ....

f. Nous allons bientôt être .... en Bourse.

g. Nous atteignons malheureusement un .... de 18 millions d'euros.

h. L'année d'exercice se conclut par un .... très positif.

Bilans

396 **Des amis discutent. Complétez leur conversation avec :** *comptable, diminué, candidature, poste, primes, boîte, congés, licenciements, boulot.*

Thomas *Ça y est. Michel a ouvert sa propre .... **(1)**.*

Carole *Ah bon, il a démissionné de son ancien .... **(2)** ?*

Thomas *Oui, il avait envie de voler de ses propres ailes, de créer sa société.*

Carole *Il fait quoi exactement ?*

Thomas *Il fournit des services informatiques.*

Carole *Il a peut-être besoin d'une .... **(3)**.*

Thomas *Pourquoi, tu cherches du .... **(4)** ?*

Carole *J'aimerais bien changer de société.*

Thomas *Oui, mais réfléchis, tu as beaucoup d'avantages actuellement, cinq semaines de .... **(5)**, les .... **(6)** en fin d'année, les RTT...*

Carole *Mais l'ambiance est meilleure dans une petite entreprise. Et puis, en fait, en ce moment, les résultats ne sont pas très bons. Il paraît que les ventes ont .... **(7)**, on m'a même dit que la direction préparait des .... **(8)**.*

Thomas *Bon, et bien, plutôt que de lui envoyer une lettre de .... **(9)**, tu pourras en parler directement à Michel samedi soir, on se voit pour un apéritif...*

397 **Dans son cabinet, le docteur Schlutz, spécialiste des troubles du langage à Lausanne, s'entretient avec un patient qui utilise parfois un mot pour un autre. Complétez avec le mot correct.**

Le patient *J'ai toujours travaillé, je n'ai jamais été au* dommage.

Le docteur *Vous voulez dire au c................................ (1).*

Le patient *Oui, docteur, c'est ce que j'ai dit. J'ai commencé dans une boutique, je vendais des boutons. Le* baron *était très content de moi.*

Le docteur *Le p................................ (2) !*

Le patient *Il disait que je travaillais minutieusement, que j'étais très* continent.

Le docteur *C................................ (3).*

Le patient *Quelques années plus tard, il a fermé. Mais il avait parlé de moi à un ami qui était directeur dans une* turbine *où l'on fabriquait des voitures.*

Le docteur *Une u................................ (4).*

Le patient *Je me suis présenté et on m'a* emballé *comme ouvrier.*

Le docteur *On vous a e................................ (5) ?*

Le patient *Oui, docteur. Je travaillais à la chaîne. C'était trop dur. Après quelques mois, j'ai quitté cet emploi, j'ai donné ma* division.

Le docteur *Votre d................................ (6) !*

Le patient *Absolument. Et là, j'ai eu un coup de chance incroyable. J'ai rencontré un homme très riche à qui j'ai raconté que j'allais créer une société et je lui ai proposé d'investir. Je lui ai dit que l'entreprise serait bientôt cotée en* Corse.

Le docteur *En B................................ (7).*

Le patient *Oui, et qu'il deviendrait actionnaire. Il a accepté. L'entreprise n'a pas duré longtemps. Au bout de deux mois, nous avons fait* baril.

Le docteur *Vous avez fait f................................ (8).*

Le patient *Exactement. Mais je me suis quand même bien amusé ! C'est grave, docteur ?*

Le docteur *On va voir ça...*

XIV. LE MONDE DES MACHINES

A. Pour les loisirs

398 *Un ami très moderne.* **Reliez les deux parties de la phrase.**

a. Il a une chaîne hi-fi
b. Il a aussi un magnétophone
c. Il a un magnétoscope
d. Il a un appareil photo
e. Il a un caméscope
f. Il a un lecteur
g. Il a une console
h. Il a un ordinateur

1. pour prendre des photos.
2. pour écouter ou enregistrer des cassettes audio.
3. pour regarder des DVD.
4. pour filmer.
5. pour se connecter à Internet.
6. pour faire des jeux.
7. pour écouter la radio ou des CD.
8. pour regarder ou enregistrer des cassettes vidéo.

399 **Notez (=) si les deux mots ont le même sens, sinon notez (≠).**

Exemple : le mode d'emploi – la notice d'utilisation ***(=)***

a. allumer – mettre en route ( )
b. marcher – fonctionner ( )
c. la prise – la branche ( )
d. brancher – illuminer ( )
e. enregistrer – lire ( )
f. emballer – déballer ( )
g. numérique – digital ( )
h. la télécommande – la console ( )

400 ***Je me suis acheté un lecteur de DVD.*** **Notez de 1 à 8 pour indiquer l'ordre de ces actions.**

a. J'ai mis un disque dans le lecteur. ( )
b. J'ai jeté les cartons d'emballage. ( )
c. On m'a livré l'appareil. ( )
d. J'ai raccordé le lecteur à mon téléviseur. ( )
e. J'ai lu le mode d'emploi. ( )
f. J'ai vérifié que tout marchait bien. ( )
g. J'ai branché le lecteur. ( )
h. J'ai déballé le carton. ( )

401 **Complétez avec :** *effacée, magnétoscope, rembobine, vierge, programmer, chaîne, lecture, enregistre, avance.*

Exemple : Je mets une cassette dans mon ***magnétoscope***.

a. Cette cassette ne contient rien, elle est ....
b. Je sélectionne une ....
c. J'............................... une émission.
d. Je .... la cassette pour revenir au début.
e. Pour voir ce qui est plus loin sur la bande, je peux utiliser l'............................... rapide.
f. Une fois, je me suis trompé, au lieu d'appuyer sur la touche « .... », j'ai appuyé sur « enregistrement ».
g. Alors, l'émission que j'avais enregistrée a été ....
h. Si je ne suis pas là pour démarrer l'enregistrement, je peux le ....

402 **Complétez avec :** *floues, numérique, développer, nettes, écran, pleine, effacer, règle, bouton.*

Exemple : J'ai un appareil photo ***numérique***.

a. L'appareil se .... automatiquement.
b. Les photos sont très belles, très ....
c. Si une photo n'est pas réussie, je peux l'............................... et la refaire.
d. Les photos sont rarement ....
e. Je peux regarder les photos sur un petit .... de contrôle.
f. Quelquefois, je ne sais plus sur quel .... je dois appuyer.
g. Il n'y a pas de pellicule à faire ....
h. Quand la carte mémoire est ...., je transfère les photos sur mon ordinateur.

403 **Cochez l'élément qui a le même sens que les mots en italique.**

Exemple : Tu sais *utiliser* cet appareil ?
1. ☐ fonctionner **2.** ☒ te servir de

a. J'ai *écouté* un disque.
1. ☐ joué **2.** ☐ passé
b. J'ai *remis* la cassette au début.
1. ☐ retendu **2.** ☐ rembobiné
c. J'ai *mis en marche* la télé.
1. ☐ éteint **2.** ☐ allumé
d. Quel est son numéro de téléphone *mobile* ?
1. ☐ portable **2.** ☐ cellulite
e. J'ai une nouvelle chaîne avec des *haut-parleurs* de très bonne qualité.
1. ☐ postes **2.** ☐ enceintes

f. La télé ne *marche* plus.
   1. ☐ fonctionne **2.** ☐ travaille
g. J'aime bien *changer souvent de chaîne*.
   1. ☐ enchaîner **2.** ☐ zapper
h. La photo n'est pas nette, tu as mal *réglé* l'appareil.
   1. ☐ posé **2.** ☐ mis au point

404 **Complétez avec le nom correspondant au verbe.**

Exemple : sélectionner → une ***sélection***

a. enregistrer → un ....
b. lire → une ....
c. brancher → un ....
d. fonctionner → un ....
e. utiliser → une ....
f. installer → une ....
g. régler → un ....
h. entretenir → un ....

405 ***L'ordinateur.*** **Rayez ce qui ne convient pas.**

Exemple : Sur ce modèle d'ordinateur, l'accès à Internet se fait *sans fil/~~en l'air~~*.

a. Il tape le texte à l'aide du *clavier/boulier.*
b. Les mots apparaissent sur *le cran/l'écran.*
c. Pour aller à la ligne, il appuie sur la *note/touche* « Entrée ».
d. Il peut obtenir une copie sur papier, il a une *presse/imprimante.*
e. Sur son disque dur, il peut *coller/enregistrer* ses fichiers.
f. Il peut aussi *imprimer/graver* des CD.
g. Il se sert de la *lumière/souris* pour cliquer sur une partie du texte.
h. Il a branché *une manette/un bouton* de jeux.

406 **Complétez avec :** *relier, logiciels, envoyer, graver, imprimer, stocker, connecter, télécharger, traitement.*

Exemple : On peut faire des tas de choses avec un ordinateur, à condition d'avoir des ***logiciels***.

a. On peut utiliser un .... de texte.
b. On peut se .... à Internet.
c. On peut .... et recevoir des méls.
d. On peut .... des fichiers sur le disque dur.
e. On peut .... de la musique, des images sur Internet.
f. On peut .... un CD-ROM.
g. On peut .... son appareil photo numérique.
h. On peut retravailler et .... des photos.

407 ***Ça ne marche pas.*** **Reliez chaque problème à la question qui convient.**

a. Mon baladeur ne marche pas !
b. Mon appareil n'a pris aucune photo !
c. Le magnétoscope n'a pas enregistré mon émission !
d. Il n'y a rien sur la cassette !
e. Il n'y a pas de musique !
f. Le téléviseur ne marche pas !
g. Mon téléphone portable ne fonctionne pas !
h. L'imprimante ne marche pas !

1. Tu as bien appuyé sur la touche « enregistrement » ?
2. Tu as vérifié qu'il reste du papier ?
3. L'antenne est bien branchée ?
4. Tu as vérifié si les piles sont encore bonnes ?
5. Tu avais bien mis une cassette ?
6. La batterie est assez rechargée ?
7. Tu as vérifié qu'il y a une pellicule à l'intérieur ?
8. Tu as bien allumé la chaîne ?

408 ***Un client entre dans un magasin et se renseigne sur les téléphones portables.*** **Complétez les réponses du vendeur avec :** *cartes, forfait, report, messagerie, recharger, sonnerie, touche, code, textos.*

Exemple : Vous pouvez choisir un abonnement avec un ***forfait***, c'est-à-dire un nombre fixe d'heures de communication à payer tous les mois.

a. Certaines formules permettent le .... du temps restant sur le mois suivant.
b. Vous pouvez aussi choisir une formule avec des .... pour recharger votre crédit de communication.
c. Quand votre portable est éteint, on peut vous laisser un message sur votre .... vocale.
d. Vous pouvez aussi envoyer des messages écrits, les ....
e. Pour utiliser le téléphone, vous devez d'abord composer le .... PIN.
f. Pour appeler, composez le numéro de votre correspondant et appuyez sur la .... verte.
g. Vous pouvez choisir votre ....
h. N'oubliez pas de .... votre batterie !

409 **Complétez ces phrases avec le mot qui convient.**

Exemple : Je me suis acheté un ***lecteur*** de DVD.

a. Quand je regarde la télé, je peux changer de chaîne en utilisant ma ....
b. Il n'y a rien sur ce CD, il est ....
c. Mon baladeur ne marche plus, je dois changer les ....
d. Sur mon téléphone portable, le numéro de mon correspondant s'affiche sur l'.................
e. Pour travailler, jouer, me connecter à Internet, j'ai un ....
f. C'est un appareil photo sans pellicule, il est ....
g. J'ai un magnétoscope, je vais .... l'émission.
h. J'ai assez travaillé, maintenant je vais jouer avec ma .... de jeux.

B. La voiture

410 ***Les principaux composants.*** **Reliez les deux parties de la phrase.**

a. La carrosserie	1. est stockée dans un réservoir.
b. Le moteur	2. propulse la voiture.
c. La voiture repose	3. permettent de voir derrière le véhicule.
d. L'essence	4. permet de diriger la voiture.
e. Le volant	5. protège du vent.
f. Les rétroviseurs	6. protègent l'avant et l'arrière.
g. Les pare-chocs	7. recouvre l'ensemble de la voiture.
h. Le pare-brise	8. sur quatre roues.

411 **Cochez l'élément qui convient.**

Exemple : Tu sais ☐ piloter ☒ conduire une voiture ?

a. Ce modèle a un ☐ engin ☐ moteur diesel.
b. Où se trouve la roue ☐ d'urgence ☐ de secours ?
c. Il n'y plus de courant. Il faut recharger ☐ la pile ☐ la batterie.
d. Je peux utiliser un avertisseur sonore, c'est ☐ le klaxon ☐ la corne.
e. Je mets les bagages dans ☐ la portière ☐ le coffre.
f. Je vérifie régulièrement la ☐ pression ☐ présure des pneus.
g. Avant de tourner, je mets mon ☐ cliquetis ☐ clignotant.
h. À l'avant et à l'arrière du véhicule, une plaque porte le numéro ☐ de matricule ☐ d'immatriculation.

412 **Reliez les éléments qui correspondent.**

a. la poignée	1. les essuie-glaces
b. la pression	2. le frein
c. la clé	3. le pneu
d. l'enjoliveur	4. le phare
e. la lampe	5. la portière
f. la pédale	6. la serrure
g. la plaque	7. le numéro
h. le pare-brise	8. la roue

413 **Notez (C) s'il s'agit d'un élément de la carrosserie ou (M) d'un élément du moteur.**

Exemple : le toit ***(C)***

a. un piston ( )
b. le capot ( )
c. le carburateur ( )
d. l'embrayage ( )

e. une aile ( )
f. une portière ( )
g. la batterie ( )
h. le coffre ( )

414 Reliez les éléments qui correspondent.

a. la plaque	1. de vitesse
b. la roue	2. d'essence
c. la jauge	3. d'immatriculation
d. la clé ——————→	4. de contact
e. la ceinture	5. de secours
f. la pédale	6. de sécurité
g. le levier	7. d'échappement
h. le tuyau	8. d'embrayage

415 Complétez avec : *mets, conduite, lâche, gare, passe, appuie, changer, coupe, freine.*

Exemple : Je m'entraîne pour passer mon examen de ***conduite***.

a. Je veux aller plus vite, j'.................. sur la pédale de l'accélérateur.
b. Je veux aller moins vite, je .... l'accélérateur.
c. Je veux .... de vitesse, j'appuie sur la pédale d'embrayage.
d. Je .... une vitesse.
e. Je veux tourner, je .... mon clignotant.
f. Je veux arrêter la voiture, je ....
g. Je .... la voiture le long du trottoir, je mets le frein à main.
h. Je .... le contact.

416 Complétez avec le terme de sens contraire : *éteindre, fermer, reculer, lâcher, détacher, ralentir, arrêter, garer, descendre.*

Exemple : Je dois ouvrir le capot ? – Non, tu dois le ***fermer***.

a. Je dois accélérer ? – Non, tu dois ....
b. Je dois avancer ? – Non, tu dois ....
c. Je dois démarrer le moteur ? – Non, tu dois l'.............................
d. Je dois appuyer sur la pédale ? – Non, tu dois la ....
e. Je dois allumer les phares ? – Non, tu peux les ....
f. J'attache ma ceinture de sécurité ? – Non, maintenant tu peux la ....
g. Je remonte ma vitre ? – Non, tu peux la ....
h. Je continue de rouler ? – Non, maintenant tu peux te ....

417 **Soulignez l'élément qui convient.**

Exemple : J'ai appris à changer de *vitesse* – *degré*.

a. À l'arrêt, *le levier* – *l'évier* est au point mort.
b. Pour démarrer, j'appuie sur la pédale d'*engrenage* – *embrayage*.
c. Je *passe* – *pousse* en première.
d. Je lâche progressivement la pédale pour *embrayer* – *enrayer*.
e. En même temps, j'appuie sur l'*alternateur* – *accélérateur*.
f. Je veux arrêter la voiture, j'utilise la pédale de *frein* – *train*.
g. Très souvent, je *cale* – *coule*, et je suis obligé de redémarrer le moteur.
h. J'ai encore un peu de difficulté avec les *manœuvres* – *mains-d'œuvre*.

418 **Une jeune femme raconte son examen de conduite à une amie. Complétez avec :** *calé, permis, tour, démarrage, demi-tour, vitesses, arrêt, automatique, créneau.*

Exemple : **Sylvie** Ça y est ! Je l'ai eu, mon ***permis*** ! J'ai réussi toutes les manœuvres.
Céline Félicitations !

a. **Céline** L'examinateur t'a fait faire un .... en côte, comme la dernière fois ?
Sylvie Oui, et là, je l'ai réussi.
b. **Sylvie** Je n'ai pas .... cette fois-ci. J'étais mieux préparée.
c. **Céline** Tu as dû te garer ?
Sylvie Oui, j'ai très bien réussi mon ....
d. **Céline** Il t'a tendu quelques pièges ?
Sylvie Oui, il m'a demandé de faire .... alors que c'était interdit. Je n'ai eu aucune hésitation. J'ai refusé.
e. **Céline** Et tu as bien marqué l'............................ au stop ?
Sylvie Absolument.
f. **Sylvie** Il a juste critiqué un peu ma façon de passer les .... Il a trouvé que c'était trop saccadé.
Céline Ce n'est pas bien grave...
g. **Sylvie** Et de toute façon, j'ai l'intention de m'acheter une voiture ....
h. **Céline** Bon, tu pourras bientôt m'emmener faire un ...., alors !
Sylvie Oui, et comme ça, tu pourras commencer à apprendre, toi aussi...

419 ***Au garage.*** **Complétez avec :** *bougies, révision, tuyau, niveaux, pneus, amortisseurs, phares, plaquettes, vidange.*

Exemple : Je laisse ma voiture au garage pour une ***révision***.

a. Il faut vérifier les .... d'huile et d'eau.
b. Il faut contrôler les .... pour une bonne stabilité.
c. Il faut changer les .... de frein.
d. Il faut vérifier les .... pour un bon éclairage.
e. Il faut faire une .... en changeant l'huile du carburateur.
f. Il faut nettoyer les .... pour un bon allumage.
g. Il faut regonfler les ....
h. Il faut vérifier le .... d'échappement.

420 **Complétez les mots.**

Exemple : J'entre dans la voiture et je mets le m***oteur*** en marche.

a. Avant de démarrer, j'attache ma c..

b. Il fait nuit, j'allume mes p..

c. Il commence à pleuvoir, je mets en route mes e..................................

d. Je vais tourner, je mets mon c..

e. Je vais doubler une voiture, je regarde d'abord dans mon r.................

f. Je dois faire le plein, il n'y a plus d'essence dans le r...........................

g. J'ai crevé, je dois changer une r..

h. J'arrive à destination, je me g..

Bilans

421 **Des amis discutent. Complétez leur conversation avec :** *enregistrer, servir, ultraplat, fil, imprimante, numérique, ordinateur, portable.*

Thomas *Tu sais envoyer un mél ?*

Carole *Oui, quand même ! Ce n'est pas si compliqué.*

Thomas *En fait, ça ne fait pas longtemps que j'ai un .... **(1)**, alors j'apprends progressivement à m'en .... **(2)**.*

Carole *Un soir, on regardera ça avec Didier, il te montrera, c'est comme ça qu'on apprend le plus facilement.*

Thomas *Il est mordu de technologie. Il m'a dit l'autre jour qu'il venait de s'acheter un appareil pour .... **(3)** les DVD. Et bien sûr, il a une télé immense avec un écran .... **(4)**, un ordinateur .... **(5)**, un téléphone qu'il peut utiliser comme appareil photo .... **(6)**, une .... **(7)** couleur pour les photos. Le tout avec des connexions sans .... **(8)**.*

Carole *Oui, avec ces appareils, je trouve qu'il me consacre de moins en moins de temps.*

Thomas *Demande-lui s'il ne connaît pas un robot qui pourrait te tenir compagnie...*

422 **Dans son cabinet, le docteur Schlutz, spécialiste des troubles du langage à Lausanne, s'entretient avec un patient qui utilise parfois un mot pour un autre. Complétez avec le mot correct.**

Le patient *Je suis venu en voiture. Je pourrais rester des heures dans ma voiture. J'attache ma* tenture *de sécurité.*

Le docteur *Vous voulez dire votre c............................* ***(1).***

Le patient *Oui, docteur, c'est ce que j'ai dit. Je tourne la clé de* contexte.

Le docteur *De c............................* ***(2)*** *!*

Le patient *Je tourne le* bolet *dans tous les sens.*

Le docteur *Le v............................* ***(3).***

Le patient *Je regarde derrière, dans le* projecteur.

Le docteur *Le r............................* ***(4).***

Le patient *Je mets mon* pivotant *pour indiquer que je vais tourner.*

Le docteur *Votre c............................* ***(5)*** *?*

Le patient *Oui, docteur. Et là, je ne peux pas aller plus loin. Je me bloque. Je n'arrive pas à mettre le* réacteur *en route.*

Le docteur *Le m............................* ***(6)*** *!*

Le patient *Absolument. Mais vous comprenez, docteur, ça pollue, une voiture qui roule. Je ne veux pas contribuer à tout ça. Et puis, ça fait s'écraser les mouches qui se collent sur le* brise-glace.

Le docteur *Le p............................* ***(7).***

Le patient *Alors je reste là, j'écoute la radio, je regarde les passants. J'ai même quelques bouteilles de bière. Quand il pleut, je mets mes* essoreuses.

Le docteur *Vos e............................* ***(8).***

Le patient *Exactement. Je m'amuse bien comme ça. C'est grave, docteur ?*

Le docteur *On va voir ça...*

XV. LA VIE CULTURELLE

A. LA LITTÉRATURE

423 ***Le cycle d'un livre.*** **Complétez avec :** *couverture, auteur, imprimeur, traduit, librairie, éditeur, correcteur, publier, titre*.

Exemple : Un ***auteur*** écrit son manuscrit.

a. Il le propose à un ....

b. Celui-ci décide de le ....

c. Le texte est relu par un ....

d. On cherche un .... qui donne envie de le lire.

e. On prépare une belle ....

f. Le livre est fabriqué chez un ....

g. Le livre paraît en ....

h. C'est un énorme succès. Il est .... en plusieurs langues.

424 **Notez (=) si les deux mots ont le même sens, sinon notez (≠).**

Exemple : une couverture – une préface *(≠)*

a. un auteur – un écrivain ( )

b. un éditeur – un imprimeur ( )

c. paraître – sortir ( )

d. un libraire – un livret ( )

e. un traducteur – un lecteur ( )

f. un romancier – un amoureux ( )

g. des mémoires – une autobiographie ( )

h. un volume – un tome ( )

425 **Cochez l'élément qui convient.**

Exemple : Quand un auteur écrit sa propre histoire, il s'agit d'une ☐ biographie ☒ autobiographie.

a. Un livre en édition économique s'appelle un ☐ mini-livre ☐ livre de poche.

b. Quand un écrivain imagine l'histoire qu'il écrit, c'est ☐ une romance ☐ un roman.

c. Une courte histoire inventée est ☐ un romancier ☐ une nouvelle.

d. Une fiction basée sur la recherche d'un criminel est un ☐ roman policier ☐ détective.

e. Une personne représentée dans le récit est un ☐ rôle ☐ personnage.

f. Un livre paraît parfois en plusieurs ☐ volumes ☐ tons.

g. Le Goncourt est un ☐ prix littéraire ☐ dictionnaire littéraire.

h. Un membre de l'Académie française est appelé familièrement un ☐ immuable ☐ immortel.

426 **Reliez les éléments qui ont le même sens.**

a. le personnage principal
b. la fin de l'histoire
c. l'histoire, l'action
d. un changement inattendu
e. la dédicace
f. le sommaire
g. la typographie
h. les illustrations

1. les caractères
2. le héros
3. la signature de l'auteur
4. l'intrigue
5. les images
6. la table des matières
7. un rebondissement
8. le dénouement

427 ***La poésie.*** **Complétez avec :** *vers, poète, pied, prose, poème, alexandrin, rime, poétique, strophe*.

Exemple : Il écrit de la poésie, il est ***poète***.

a. Il écrit un .... sur la nature.
b. Il écrit un texte ....
c. Le texte est écrit en ....
d. Certaines fins de ligne ont la même sonorité, c'est la ....
e. Chaque syllabe constitue un ....
f. Un vers de 12 pieds est un ....
g. Un groupe de vers est une ....
h. Un texte écrit sans vers est en ....

428 **Rayez l'élément qui ne convient pas.**

Exemple : le poème : ~~la nouvelle~~ – l'alexandrin – le vers

a. le vers : la rime – le paragraphe – le pied
b. le roman policier : le tome – l'enquête – le mobile
c. le conte : les fées – le meurtre – la princesse
d. le personnage : l'héroïne – le romancier – le héros
e. l'action : le rebondissement – le coup de théâtre – la nouvelle
f. la fin de l'histoire : le dénouement – la couverture – l'épilogue
g. la science-fiction : l'anticipation – le fantastique – la biographie
h. la prose : la dédicace – le texte – le paragraphe

429 ***Les bandes dessinées.*** **Complétez avec :** *bulles, BD, dessinateur, album, scénariste, animé, comique, héros, graphisme*.

Exemple : On les appelle familièrement les BD.

a. Les images sont réalisées par un ....
b. Un .... conçoit le récit.
c. Les personnages s'expriment généralement dans des ....
d. Le style est souvent ....
e. La BD est publiée sous forme d'...............................

f. Un .... est généralement mis en scène.
g. Le .... est parfois sophistiqué.
h. Une BD est parfois adaptée au cinéma sous forme de dessin ....

B. Les beaux-arts

430 ***La peinture.*** **Complétez avec :** *œuvre, peintre, palette, toile, accroche, signe, pinceaux, collectionneur, cadre*.

Exemple : La peinture est réalisée par un ***peintre***.

a. L'artiste peint sur une ....
b. Il mélange ses couleurs sur une ....
c. Il applique la peinture avec ses ...., ses brosses, son couteau, etc., selon la technique qu'il a choisie.
d. Il .... sa peinture quand elle est finie.
e. Il met un .... autour de la peinture.
f. L'.......................... est exposée dans une galerie.
g. Un .... la remarque et décide de l'acheter.
h. Il l'.......................... à son mur.

431 **Cochez l'élément qui convient.**

Exemple : Une peinture réalisée sur un mur dont l'enduit est encore frais est une ☐ fraîche ☒ fresque.

a. Un tableau représentant le visage d'une personne est un ☐ chef-d'œuvre ☐ portrait.
b. Une toile sur laquelle aucun sujet vivant n'apparaît est une ☐ immobile ☐ nature morte.
c. Une peinture d'une qualité exceptionnelle est ☐ une œuvre ☐ un chef-d'œuvre.
d. Quand un peintre reproduit fidèlement la réalité, il s'agit de peinture ☐ figurative ☐ concrète.
e. Au contraire, quand un peintre interprète la réalité et la montre d'une façon différente, il s'agit de peinture ☐ mentale ☐ abstraite.
f. La technique de peinture utilisant des couleurs mélangées à l'eau s'appelle ☐ l'aquarelle ☐ l'eau-forte.
g. Un dessin réalisé rapidement sans détails est un ☐ croquis ☐ sketch.
h. La soirée d'ouverture d'une exposition dans une galerie est appelée ☐ l'encadrement ☐ le vernissage.

432 **Complétez avec le verbe correspondant au nom.**

Exemple : une peinture → ***peindre***

a. un cadre → ....
b. un dessin → ....
c. une exposition → ....
d. une gravure → ....

e. une reproduction → ....
f. une restauration → ....
g. une sculpture → ....
h. une illustration → ....

433 **Rayez l'élément qui ne convient pas.**

Exemple : des essais : ~~le format~~ – l'ébauche – le croquis – l'esquisse

a. des sujets : le paysage – le recul – le nu – le portrait
b. des mouvements : le scepticisme – le fauvisme – l'impressionnisme – le cubisme
c. des outils : la palette – le marteau – la brosse – le pinceau
d. des supports : la toile – le vernis – le bois – la soie
e. des techniques : la fresque – le buste – la peinture à l'huile – l'aquarelle
f. des finitions : le vernis – le cadre – le crochet – le permis
g. des procédés graphiques : le clair-obscur – la perspective – le haut – le trompe-l'œil
h. des lieux : l'enduit – l'atelier – le musée – la galerie

434 **Complétez avec :** *copie, talent, restauration, style, recul, faux, modèle, maître, vernis*.

Exemple : Ce peintre a beaucoup de ***talent***.

a. Il peint d'après nature, il fait poser un ....
b. Il a un .... très personnel.
c. Il s'agit d'un chef-d'œuvre, c'est une toile de ....
d. Il y a des craquelures dans le ....
e. L'œuvre a besoin d'une ....
f. Nous exposons une ...., l'original est dans un coffre-fort.
g. Ce tableau n'est pas authentique, c'est un ....
h. Il faut plus de .... pour admirer une toile d'une telle dimension.

435 **Complétez avec :** *gravé, soufflé, projeté, laquée, bas-reliefs, sculpté, illustré, vitraux, émaillée*.

Exemple : Ce vase est en verre ***soufflé***.

a. Il a .... ce buste dans un bloc de pierre.
b. Il a .... des lignes sur une plaque de cuivre.
c. Il a .... de l'encre sur la toile.
d. Le texte est .... d'images diverses.
e. Cette céramique est ....
f. J'ai acheté une table .... provenant de Chine.
g. La lumière traverse les .... et éclaire l'intérieur de l'église.
h. Le mur est décoré de .... qui retracent des épisodes historiques.

C. LES SPECTACLES

436 **Reliez les éléments qui correspondent.**

a. une pièce
b. un ballet
c. un opéra
d. un concert
e. un récital
f. une séance
g. un numéro
h. une démonstration

1. la danse
2. une représentation par un artiste
3. un sport
4. l'art lyrique
5. le théâtre
6. le cinéma
7. la musique d'un orchestre
8. le cirque

437 ***Le chant.*** **Complétez avec :** *partition, chorale, sens, jouer, oreille, juste, fausses, voix, solfège*.

Exemple : Je voudrais chanter dans une ***chorale***.

a. J'ai une .... assez claire.
b. J'ai l'................................ musicale.
c. J'ai appris à .... du piano.
d. Je peux lire les notes, j'ai appris le ....
e. Je sais lire une ....
f. Je ne joue pas très bien, je fais beaucoup de .... notes.
g. En revanche, je chante ....
h. Je n'ai pas le .... du rythme.

438 ***Un concert.*** **Complétez avec :** *soliste, classique, chef, symphonie, public, œuvres, récital, chœurs, acoustique*.

Exemple : Hier, nous sommes allés à un concert de musique ***classique***.

a. L'orchestre a interprété une .... de Berlioz.
b. Le .... d'orchestre qui dirigeait était très énergique.
c. J'ai particulièrement apprécié les ...., les voix étaient très belles.
d. Il y avait une très bonne ....
e. Au piano, le .... était excellent.
f. À la fin, le .... a applaudi chaleureusement.
g. La semaine prochaine, nous assisterons à un .... lyrique.
h. Une cantatrice interprétera des .... de Fauré.

439 ***Une partition.*** **Complétez avec :** *mesures, portée, dièse, accord, clé, bémol, gamme, silences, croches*.

Exemple : On écrit les notes sur la ***portée***.

a. On indique s'il s'agit de la .... de sol ou de fa.
b. Des barres verticales séparent les ....
c. Une noire correspond à deux ....
d. Les interprètes s'arrêtent pendant les ....

e. Le .... hausse une note d'un demi-ton.
f. Le .... baisse une note d'un demi-ton.
g. Une .... est une suite de notes dans un ordre précis.
h. Un .... est constitué de plusieurs notes jouées en même temps.

440 Rayez l'élément qui ne convient pas.

Exemple : à bec : ~~l'harmonica~~ – la flûte – la clarinette

a. les cordes : les violons – l'orgue – la contrebasse
b. les cuivres : la flûte – le trombone – la trompette
c. les vents : la clarinette – le piano – la flûte
d. les percussions : la batterie – le saxophone – le tambour
e. les claviers : le piano – le violoncelle – le clavecin
f. les bois : le hautbois – la guitare – le cor anglais
g. les cordes : l'alto – la harpe – le tuba
h. clavier et vent : le trombone – l'orgue – l'accordéon

441 Reliez chaque instrument au pays où il est considéré comme traditionnel.

a. les castagnettes
b. la cornemuse
c. le sitar
d. la flûte de Pan
e. le tam-tam
f. l'harmonica
g. l'accordéon
h. le luth

1. l'Afrique
2. la France
3. l'Espagne
4. les pays arabes
5. l'Amérique latine
6. les États-Unis
7. l'Écosse
8. l'Inde

442 Cochez l'élément qui convient.

Exemple : Un métronome indique ☐ le nom de la note ☒ la mesure.

a. Un diapason sert à indiquer le ☐ nord ☐ la.
b. L'orchestre est dirigé par un ☐ chef-d'œuvre ☐ chef d'orchestre.
c. La guitare peut être électrique ou ☐ encaustiquée ☐ acoustique.
d. Pour jouer, un violoniste se sert d'un ☐ archet ☐ tuba.
e. Pour jouer, un pianiste se sert des ☐ clés ☐ touches du clavier.
f. La note fondamentale est ☐ le do ☐ la basse.
g. Sur un clavier de piano, les notes du côté droit sont plus ☐ aiguës ☐ pointues.
h. Les notes du côté gauche sont plus ☐ sombres ☐ graves.

443 ***Une chanson.*** **Complétez ce récit avec :** *refrain, chanson, faux, paroles, couplet, rythme, air, chœur, notes*.

Exemple : Pour l'anniversaire de ma cousine, nous avons chanté une ***chanson***.

a. Ma sœur avait écrit les ....

b. Nous avons tous chanté en ....

c. Nous avons chanté sur l'.......................... d'une chanson connue.

d. Dans chaque ...., on racontait un souvenir concernant ma cousine.

e. Dans le ...., nous lui souhaitions un joyeux anniversaire.

f. Pour certains, il y avait des .... un peu trop hautes.

g. Quelques-uns chantaient un peu ....

h. D'autres ne suivaient pas bien le ...., mais pour des amateurs, c'était quand même pas mal.

444 ***Un spectacle.*** **Complétez ce récit avec :** *éclairages, chanteur, autographe, scène, public, paroles, rappels, placé, groupe*.

Exemple : Je suis allé voir un ***chanteur*** en concert.

a. Quand il est arrivé sur ...., c'était l'hystérie dans la salle.

b. Moi, j'étais très bien ...., bien au centre.

c. Un .... accompagnait le chanteur.

d. Il y avait de très beaux ....

e. L'artiste a fait chanter le ....

f. Moi, je connais toutes les ....

g. Il y a eu trois ....

h. Après le spectacle, j'ai fait la queue pour avoir un ....

445 ***Le théâtre.*** **Complétez avec :** *décor, pièce, mise, scène, costumes, public, lumières, rideau, balcon*.

Exemple : Le texte de la ***pièce*** est écrit par un auteur.

a. Les acteurs jouent sur la ....

b. Ils évoluent dans un ....

c. Ils portent des ....

d. Ils se déplacent selon une .... en scène établie.

e. Le .... se lève au début du spectacle.

f. Les acteurs sont mis en valeur par les ....

g. Leur voix doit être audible pour tous les spectateurs, à l'orchestre et au ....

h. À la fin, les acteurs viennent saluer le ....

446 ***Le cirque.*** **Complétez ce récit avec :** *clowns, cirque, piste, équestre, orchestre, chapiteau, trapézistes, dompteur, jongleurs*.

Exemple : Nous sommes allés au ***cirque*** en famille.

a. Le cirque était installé sous un ....

b. Les numéros se succédaient sur la .... ronde.

c. Les .... étaient très adroits.

d. Les .... ont fait des acrobaties en l'air.

e. Les .... nous ont bien fait rire.

f. Le .... de lions a eu beaucoup de succès.

g. Le spectacle s'est terminé par un numéro ....

h. Un .... accompagnait les numéros.

447 **Cochez la phrase qui a le même sens.**

Exemple : Nous avons assisté à un spectacle.

1. ☐ Nous avons joué dans un spectacle.

2. ☒ Nous avons vu un spectacle.

a. Nous étions à la première.

1. ☐ Nous étions au premier fauteuil.

2. ☐ Nous étions à la première représentation.

b. Nous étions au premier rang.

1. ☐ Nous étions assis sur les fauteuils de première catégorie.

2. ☐ Nous étions assis sur les fauteuils juste devant la scène.

c. Nous avons vu une comédie musicale.

1. ☐ Nous avons vu un spectacle comique avec de la musique.

2. ☐ Nous avons vu un spectacle mêlant parties jouées et parties chantées.

d. Cette chanson est un tube[1].

1. ☐ Cette chanson a du succès.

2. ☐ Cette chanson est un échec commercial.

e. Cette pièce de théâtre a fait un bide[2].

1. ☐ Cette pièce a remporté un grand succès.

2. ☐ Cette pièce n'a eu aucun succès.

f. L'ouvreuse nous a placés.

1. ☐ Une employée nous a accompagnés à nos places.

2. ☐ Une personne a ouvert les portes pour nous.

g. C'est un humoriste.

1. ☐ C'est un comédien.

2. ☐ Il présente des sketches comiques.

h. Nous avons vu des tours de magie.

1. ☐ Nous avons visité un temple.

2. ☐ Nous avons vu le spectacle d'un magicien.

---

1. Attention, le mot *tube* est un mot familier.
2. Attention, le mot *bide* est un mot familier.

448 ***Le cinéma.*** **Complétez avec :** *version, réalisateur, principal, originale, scénario, critiques, annonce, festival, cascadeurs*.

Exemple : Mon ***réalisateur*** préféré vient de sortir un nouveau film.

a. Le .... est une adaptation d'un roman du XIXe siècle.
b. J'ai eu envie d'aller voir ce film en voyant la bande-.......................... à la télé.
c. Les .... n'étaient pas très bonnes mais le succès est venu par le bouche à oreille.
d. Nous avons vu le film en .... originale sous-titrée.
e. Il a été primé au .... de Cannes.
f. L'acteur .... a reçu un césar.
g. Les acteurs sont remplacés par des .... pendant les scènes dangereuses.
h. La bande .... du film est disponible en CD.

Bilans

449 **Des amis discutent. Complétez leur conversation avec :** *vernissage, toile, figuratif, peintre, représente, tableau, encadrer, paysage*.

Patricia *Je me suis fait plaisir. Je viens de m'acheter un .... **(1)**.*
Jean-Luc *C'est une .... **(2)** de maître ?*
Patricia *Non, il est fait par un .... **(3)** du quartier, mais il me plaît bien. En fait, j'étais invitée dans une galerie pour un .... **(4)** et j'ai craqué pour les couleurs.*
Jean-Luc *Il .... **(5)** quelque chose, quand même ?*
Patricia *Oui, un magnifique .... **(6)** méditerranéen.*
Jean-Luc *C'est peint dans un style .... **(7)** alors.*
Patricia *Oui, mais il y a quand même une vision personnelle.*
Jean-Luc *Tu l'as fait .... **(8)** ?*
Patricia *Pas encore, mais je vais peut-être le laisser comme ça. Ça me fait comme une fenêtre sur la mer...*

450 **Dans son cabinet, le docteur Schlutz, spécialiste des troubles du langage à Lausanne, s'entretient avec un patient qui utilise parfois un mot pour un autre. Complétez avec le mot correct.**

Le patient *Je viens d'avoir une idée grandiose. Je vais devenir* idéalisateur *de cinéma.*

Le docteur *Vous voulez dire r.......................... **(1)**.*

Le patient *Oui, docteur, c'est ce que j'ai dit. Bien entendu, je jouerai dans le film, je serai aussi l'*essor *principal.*

Le docteur *L'a.......................... **(2)** !*

Le patient *Mais je pourrais aussi en faire une* tierce *de théâtre.*

Le docteur *Une p.......................... **(3)**.*

Le patient *Vous savez que je suis capable d'écrire des livres ? J'ai déjà écrit plusieurs* normands.

Le docteur *Plusieurs r.......................... **(4)**.*

Le patient *Je peux même écrire de la poésie, je peux faire des rimes, écrire en* bruns.

Le docteur *En v.......................... **(5)** ?*

Le patient *Oui, docteur. Je sais aussi composer de la musique. Tiens, je pourrais aussi chanter, je pourrais écrire des* chaussures *pour mon spectacle.*

Le docteur *Des c.......................... **(6)** !*

Le patient *Absolument. Et ça deviendrait une comédie musicale. Je suis sûr que le* portique *me ferait un triomphe.*

Le docteur *Le p.......................... **(7)**.*

Le patient *Oui, je m'imagine très bien sur la scène avec tous les* appauvrissements *de la salle.*

Le docteur *Les a.......................... **(8)**.*

Le patient *Exactement. J'ai envie de devenir une star. C'est grave, docteur ?*

Le docteur *Non, pas du tout. Mais passez me voir demain après-midi, à la clinique. J'ai réussi à vous trouver une chambre. On va s'occuper de tout ça.*

INDEX

Les chiffres renvoient aux numéros d'exercices

E

F

G

H

I-J

L

M

N

O

P

Q-R

S

T

U-Z